Pas mal
pour
un lundi !

Des mêmes auteurs

AUX MÊMES ÉDITIONS

Vous permettez
que je vous appelle Raymond ?
coll. Point-Virgule, 1990

Antoine de Caunes
Albert Algoud

Pas mal
pour
un lundi !

Éditions du Seuil

COLLECTION DIRIGÉE PAR NICOLE VIMARD

EN COUVERTURE : photo Élias

ISBN 2-02-012421-1

© ÉDITIONS DU SEUIL, JUIN 1990

A nos 243 519 premiers lecteurs.
Pour qu'ils recommencent.

portrait de

Jean-Christophe Averty

Je vous avertis tout de suite, mon cher Jean-Christophe (vous permettez que je vous appelle Jean-Christophe Averty ?), j'ai beaucoup souffert à l'idée d'avoir à écrire le portrait d'un homme aussi considérable que vous.

Pour tout dire, vous m'avez même fait passer une nuit blanche, durant laquelle, en un diabolique carrousel, tournait dans mon pauvre cerveau malade un cocktail, aussi frappé que vous, de vos mythiques images. Le Père Ubu y flagellait, à l'aide de son andouille, la malheureuse Line Renaud, pour la forcer à nettoyer les lunettes de Nana Mouskouri, sous l'œil sévère de Dalida, elle-même rudoyée par quatre Beatles en furie qu'un Gilbert Bécaud survolté encourageait au stupre tout en écrabouillant des raisins verts sur la moumoute de Charles Aznavour.

Car je me demandais, Jean-Christophe, par quel bout prendre une œuvre aussi prolixe et qui, par l'impact et la puissance évocatrice de ses images, fait dire à beaucoup qu'il y a une télé d'avant J.-C. et une télé d'après J.-C., même si, vous le savez bien,

Jean-Christophe, vous n'avez pas que des amis, si j'en crois les plans flous qu'en ce moment notre réalisateur, Jean-Louis Cap, fait de vous, pour se venger de ce que vous l'ayez expulsé de votre plateau au début des années 70, sous prétexte qu'il avait les cheveux longs. Longs et gras.

Regardez, regardez comme ce garçon a la rancune tenace, alors qu'aujourd'hui il n'a plus les cheveux longs.

Mais c'est une exception, et en fait tout le monde s'accorde à reconnaître en vous un visionnaire de l'art électronique, un prophète du trucage, et, à tout le moins, celui qui donne tout son sens à l'expression désignant la télévision comme « une étrange lucarne », cette lucarne n'étant jamais aussi étrange que lorsque vous y sévissez.

En effet, n'est-ce pas vous qui inventâtes littéralement le bichromatisme à bignifutage intégré ? N'est-ce pas vous qui calibrâtes le permégateur thermohertzien à défoliation rétrospective ? N'est-ce pas vous encore qui poussâtes à l'extrême la bipolarisation diachronique du diffuseur turbo-électrique à variation constante, au fond du couloir à gauche en sortant de l'ascenseur ? Bien sûr que si, Jean-Christophe, tout cela, et bien d'autres choses encore, c'est vous.

Comme c'est vous qui apprîtes à tous les garçons et les filles de mon âge qui savent bien ce que c'est que d'aimer que la télévision ne se résumerait jamais à la contemplation de la face épanouie, éclairée plein pot, d'un animateur d'origine mongole du type Patrick Sabatier, et dont l'interview, ce soir, du secrétaire polonais du syndicat Solidarité est sur le point de prouver que, question lèche, Patrick est prêt à aller jusqu'à Walesa.

Voilà pour les décorations qu'il convient d'accrocher au plastron de votre renommée. Mais, comme me le confiait encore l'autre soir Pascal Sevran : chaque médaille a son revers.

Car si l'alchimiste que vous êtes fait surgir systématiquement le merveilleux des appareils qu'il ensorcelle, l'état dans lequel vous laissez les régies télé, autrement dit ces tours de contrôle de trafic télévisuel, parle, disons-le, en votre défaveur.

Ainsi, je me suis laissé conter par certains amis réalisateurs, au nombre desquels Jean-Louis Cap, encore lui, qui décidément rumine sa rancœur sans faiblir, et cela depuis vingt ans (je vous mets ainsi en garde, Jean-Christophe, puisque, comme on ne vous l'a sans doute jamais dit, un homme averti en vaut deux), je me suis donc laissé conter, disais-je, qu'il n'était pas de tout repos d'avoir à réaliser une émission dans une régie encore toute fumante de vos bidouillages, tous les instruments en étant sérieusement déréglés.

Chacun a encore en mémoire, par exemple, le Dick Rivers chauve qui eut à pâtir de ces dysfonctionnements techniques. Dick, qui était donc la vedette, n'eut-il pas la mauvaise surprise, tandis qu'il chantait *Nice baie des Anges* avec énormément de conviction, de voir sa banane se mettre à flamber, tandis que son couplet s'évadait littéralement de sa bouche et s'envolait en rythme, tel un *Faucon (un vrai film)* amateur de castagnettes.

Et ce n'était pas tout : les frères Bogdanoff, Igor et Grischka, invités de Dick, venus présenter leur célèbre numéro de bilboquet humain (l'un faisant l'embout et l'autre la boule), n'eurent-ils pas la surprise, arrivés à deux, de repartir tout seul.

Enfin, le public stupéfait n'eut-il pas l'impression, l'ombre d'un instant, qu'une lueur d'esprit s'était mise à briller dans l'œil gauche de Chantal Goya, alors que, serrée de près par sa chorale de nains priapiques, elle interprétait l'hymne de la campagne : *Vivre ensemble, c'est pas débile.*

Oui, Jean-Christophe, quelle carrière fracassante que la vôtre, même si elle est parsemée de quiproquos. Tiens, pas plus tard que ce matin, Philippe, qui compte pourtant au nombre de vos fans les plus zélés (il a même en tête un projet d'émission où, grâce à vos procédés, il pourrait ne plus avoir à présenter debout, et voir sa moumoute retrouver apparence humaine), Philippe, donc, n'eut-il pas, au dernier moment, la tentation de vous décommander, après vous avoir entendu lui dire au téléphone, je cite : « Ce soir, dans l'émission, on va parler de mon zob » ? Et il fallut que je lui explique que le malentendu venait de votre célèbre zézaiement, qui ne vous empêche d'ailleurs pas, en plus de la télé, de faire aisément de la radio (vous me direz, Léon Zitrone fait bien de la télé avec la tête qu'il a).

Voilà, le malaise est dissipé, je suis venu à bout de mon portrait, et ce soir je pourrai dormir sur mes deux oreilles en me disant : « Quand même, c'était pas mal pour un vendredi. »

portrait de

Bartabas

Figurez-vous, mon cher Bartabas (vous permettez que je vous appelle Bartabas ?), que, lorsque Philippe m'apprit que nous allions recevoir un Zingaro, avec un Z majuscule, ma mémoire, fouettée par ce Z cinglant, bondit comme un pur-sang spatio-temporel, me ramenant au galop vers un âge où la dernière lettre de l'alphabet était pour moi l'initiale même de l'aventure. Oui, à l'époque, j'avais 10 ans, et chaque jeudi je me précipitais vers le poste télé dès que résonnaient les premières notes de cet entraînant refrain : « Un cavalier qui surgit hors de la nuit / Court vers l'aventure au galop / Son nom, il le signe à la pointe de l'épée / D'un geste qui veut dire Zorro. »

Ce qui explique d'ailleurs pourquoi depuis zette époque, z'éprouve une zympathie zans limites pour tous les zéros comme Zapata, Zizi Zeanmaire, Zan Antonio, Zazie, Zacques Tati, Philippe Zildas et Karl Zero. C'est dire zi ze zuis zoyeux de rezevoir un Zingaro ze zoir.

Et pourtant j'avais toutes les raisons de craindre

votre venue, Bartabas, puisqu'on m'avait prévenu qu'il vous arrivait de vous présenter en brandissant un rat sous le nez de vos interlocuteurs, tout en leur crachant dessus (ce qui est moins urbain, convenons-en, que d'offrir des loukoums).

Ayant moi-même horreur que mes portraits soient tout crachés, et éprouvant le plus profond dégoût pour les rats d'égout, j'ai donc pris ce soir, Philou, la liberté de me protéger derrière un hygiaphone, modèle Sécu, en me munissant de tapettes. Oh, je sais bien ce que la seule mention de ces derniers objets risque de déclencher chez un public trop facilement acquis à mes pignoleries sevranesques. Mais, ce soir, ceux d'entre vous qui se frottent déjà les mains en me voyant arriver avec mes gros sabots en seront pour leurs frais, car je m'abstiendrai de me moquer de mes amis bipèdes en présence d'un mateur de qua-drupèdes.

Attention, Bartabas, n'allez surtout pas croire qu'en vous traitant de mateur je veuille vous prêter des penchants zoophiles. Non, par mateur, j'entends que vous dressez vos montures avec brio, donnant à vos spectateurs, plus encore que ne le fait Brigitte Lahaie dans son film *Tu la sens, l'amazone érogène ?*, l'envie de monter en croupe, de s'acculer, de bour-rer et de chevaucher à poil, pour n'évoquer que quel-ques expressions utilisées dans le vocabulaire de l'art équestre.

Loin de moi, donc, l'envie de me montrer cava-lier avec un cavalier tel que vous. D'autant que vous n'ignorez peut-être pas que mon dada à moi, c'est le vélo. (Oui, Philippe, je sais, encore !) Et, contrairement à ce qu'affirment des mauvaises langues, je ne chevauche pas ma monture sans selle comme vous le faites parfois, Bartabas. Cependant, lorsque je me prends (dans mes cale-pieds) pour un roi de la petite reine, je me sens proche de vous, qui, dans vos étriers, êtes un roi de l'arène.

Et ils seraient mal inspirés ceux qui, en quête d'anagrammes perfides, feraient de Zingaro un zoo ringard sous prétexte que vous faites aussi défiler sur la piste des oies et des dindons. Certes, on peut voir dans votre spectacle une contrefaçon de la célèbre émission de celle qui n'en a qu'une, *Tournez manège*, où se produisent aussi quotidiennement des oies et des dindons. Mais c'est là la seule ressemblance, car si à *Tournez manège* ils font régulièrement feu des quatre fers pour appareiller Ginette à Raymond, jamais on ne vit pour autant l'animatrice de cette émission encourager Raymond à chevaucher bibliquement Ginette, comme vous le faites à la fin de votre spectacle — je le disais tout à l'heure — en gratifiant vos spectateurs d'une ultime autant qu'impressionnante saillie.

Une raison supplémentaire pour moi, Bartabas, de me sentir proche de vous, puisque moi aussi, en boute-en-train accompli, j'aime à parapher mon portrait d'une saillie.

Oh, rassurez-vous, je m'en tiens aux mots, car, quand bien même éprouverais-je de coupables penchants pour mon partenaire Philou, surnommé l'Étalon de Saint-Gildas-des-Bois, que sa modeste taille (ne dit-on pas à juste titre de lui qu'il a l'estomac dans l'étalon ?) nous interdirait un rapprochement plus intime.

Bienvenue donc sur notre plateau, Bartabas, et je demanderai à notre cher public de se joindre à moi pour vous offrir un hennissement d'honneur. Hi, hi, hi.

portrait de

Guy Bedos

Je dois vous avouer, mon cher Guy (vous permettez que je vous appelle Guy ?), que, la nuit dernière, je ne me suis jamais senti aussi proche de vous, si l'on excepte toutefois ce 4 juin 1984 où je me retrouvai coincé à un feu rouge dans ma voiture en compagnie d'une camarade de bureau avec laquelle j'avais en projet d'établir le soir même des relations extra-professionnelles. Moi-même, je ne vous avais pas reconnu, occupé que j'étais à détailler les genoux de ma voisine sous prétexte de régler l'autoradio, un peu comme Sacha Distel du temps où il se faisait passer pour un moniteur d'auto-école nyctalope, afin de se faire appuyer sur le champignon.

Elle, si, puisqu'elle s'était soudain écriée : « Oh, regarde, c'est Guy Bedos, regarde, je le crois pas, c'est Guy Bedos, depuis le temps que je rêve de le rencontrer : c'est mon idole ! Oh, comme il me fait rire, lui ! »

Ce « lui », je dois le dire, m'avait blessé. D'abord, parce que je me flattais d'être le seul à pouvoir faire naître un sourire sur son joli visage de shampooineuse raisonnablement imbécile, mais surtout parce que, en un éclair, je réalisai que je m'étais plus que largement fourvoyé en ayant voulu passer auprès d'elle pour un intellectuel tourmenté, c'est-à-dire en l'ayant emmenée à la Cinémathèque assister à la projection d'un film de jeunesse d'Ingmar Bergman, en version originale sous-titrée en serbo-croate, avant de la traîner à une conférence de Bernard-Henri Lévy, sur le thème : « Dialectique du col ouvert et problématique transcendantale de la fatuité chez les m'as-tu-vu. »

Oui, Guy, votre seule apparition, dans ces embouteillages de fin de soirée, et malgré l'air chafouin que vous arboriez ce soir-là, avait suffi à ruiner une semaine complète de cour assidue. Ce soir-là, je le confesse, je vous en voulus à mort, d'autant plus qu'en démarrant brusquement pour obliquer sur la gauche de la chaussée vous aviez sans le savoir arraché le pare-chocs de la Renault 19 flambant neuve dont je venais de faire l'acquisition pour mieux éblouir Josiane (Josiane, c'était le nom de ma compagne).

Je me souviens même avoir fait la remarque suivante : « Celui-là, quand il braque à gauche, il se sent pas obligé de mettre son clignotant. » Mais ça n'avait pas fait rire Josiane.

Or, donc, en dehors de ce regrettable incident, je ne me suis jamais senti aussi proche de l'insomniaque que vous êtes que la nuit dernière, lorsque, après m'être réveillé en sursaut sur les coups de trois heures du mat, jamais je ne parvins à retrouver le sommeil. Figurez-vous que j'étais plongé dans les rêves les plus doux qu'on puisse imaginer : deux bourreaux assis étaient occupés à crucifier Chantal Goya, tandis que Jean-Jacques, debout lui, assistait impuissant à l'exécution entouré d'une poignée de nains priapiques communistes non réformateurs (le dernier carré — ils étaient sept, ils ne sont plus que quatre aujourd'hui, dont Simplet), enchaînés eux aussi, mais qui manifestaient vocalement contre le sort fait à leur égérie.

Mais l'Histoire était en marche, et la masse grondante des enfants martyrisés entonnait elle aussi un lancinant refrain, et non sans un malin plaisir : celui de *Pandi Panda*. Les enfants aussi sont parfois cruels.

Bref, béat de bonheur, j'assistais à cette joyeuse parade, quand soudain quelque chose me ramena dans la réalité de mon lit et la froideur de ma chambre que la modestie de mes émoluments m'interdit de chauffer davantage, tandis que, chez Philippe, c'est un véritable hammam.

Oui, Guy, d'un seul coup d'un seul, je me retrouvai assis dans mon lit, les tempes perlant d'anxiété, hagard, avec votre nom à la bouche : Guy Bedos, Guy Bedos, Guy Bedos.

Non pas que la perspective de me retrouver face à celui qui six ans plus tôt avait emporté dans un seul élan mon pare-chocs et mes illusions eût fait naître en moi une haine rétrospective, mais parce que, depuis 1984, j'avais appris, moi aussi, à l'instar de Josiane, à goûter votre humour, Guy, et à mesurer, grâce au maître étalon de ma sagacité, l'étendue de votre talent. Et la brusque inquiétude qui me tirait des bras de Morphée n'était autre que celle qui s'empare du disciple soucieux de ne pas décevoir le maître.

Car je sais d'expérience, mon cher Guy, pour recevoir soir après soir sur ce plateau les individus les plus hétéroclites, qu'il est infiniment plus facile de faire rire un médecin légiste ou un animateur de TF1 qu'un professionnel de l'humour tel que vous. Ainsi, je me souviens d'avoir fait rire aux éclats, à s'en faire péter le gilet, Paul-Loup Sulitzer, lorsque, lui posant cette célèbre devinette : « Qu'est-ce qui est tout jaune et qui dort tout seul ? », je lui appris qu'il s'agissait de Yoko Ono, alors qu'à l'inverse je m'offris un bide retentissant — un peu comme celui de Sulitzer, d'ailleurs — quand je crus judicieux de citer une maxime de Desproges à Dorothée, qui, bien qu'involontairement, est elle aussi une professionnelle de l'humour (j'entends par là que pas une journée ne se passe sans qu'on se foute de sa gueule).

Voilà, Guy, ce qui m'empêcha de fermer l'œil et ce qui, par conséquent, me donna le sentiment d'être proche de vous, qui, nuit après nuit, errez comme une âme en peine dans votre appartement, si j'en crois le témoignage de votre voisine du dessous, Linda de Suza, que votre vacarme existentiel empêche de dormir, au point qu'elle en est arrivée à se colmater les oreilles de boules Quiès (un comble pour une Portugaise), même si elle n'en a pas pour autant trouvé le sommeil.

C'est d'ailleurs à cette occasion que je me suis rendu compte que Linda et vous aviez un point commun : les valises, qu'elle traîne à bout de bras

et que vous avez l'élégance de porter sous les yeux.
Valises qui sont en fait vos bagages de saltimbanque,
Guy, et où vous gardez entassés pêle-mêle cruauté
et tendresse, sarcasmes et pignolades, bref, ce cocktail explosif et pétri d'humanité qui les différencie
à tout jamais d'un sac Vuitton en porc pleine peau.
Ce n'était qu'un exemple.

portrait de

Luc Besson

Il y a deux raisons, mon cher Luc (vous permettez que je vous appelle Luc ?), à cet énigmatique sourire que vous découvrez en ce moment sur mon visage et qui n'est pas sans évoquer celui d'une Joconde perturbée par une digestion difficile. La première tient au fait que nous avons le plaisir de vous recevoir, la seconde à celui que j'ai eu de pouvoir assister à la projection du film dont vous venez nous parler ce soir.

En effet, il est paradoxalement rarissime, faute de temps, que je puisse voir les films dont on parle ici, et, pour vous dire, le dernier que j'ai eu le loisir de visionner remonte à il y a un an exactement. Il s'agissait de *Passe-moi le beurre et secoue-toi le manche, c'est la Chandeleur*, le dernier film de, par, dans et avec Brigitte Lahaie.

Vous voyez, ça fait peu, même si j'eus l'occasion, par la suite, de revenir plusieurs fois dessus — je parle du film — pour des raisons strictement professionnelles.

Or donc, je me réjouis d'avoir pu voir le vôtre,

d'autant plus que le plus grand mystère entourait une fois de plus sa sortie et que le Tout-Paris qui chante et qui danse se perdait en supputations superfétatoires : connaissant votre attirance pour les univers souterrains, les bruits les plus fous circulaient.

En effet, *Le Dernier Combat* se déroulait sous les décombres, *Subway* sous terre dans le métro, *Le Grand Bleu* sous la mer (j'ouvre une parenthèse pour souligner au passage que c'est le phénoménal succès du *Grand Bleu* qui vous valut ce sympathique anagramme, Luc Besson devenant Bulle Caisson), et je ne parle même pas des films publicitaires réalisés quand vous étiez sans le sou, du genre H pour homme (des produits à utiliser sous la douche), Dim (les célèbres sous-vêtements que l'on porte sens dessus dessous, ou sens dessous dessus, à moins d'être saoul), ou encore les voitures Renault (célèbres pour leurs soupapes).

Oui, Luc, vous êtes devenu une véritable machine à sous, et tout le monde se demandait sous quoi vous alliez choisir de nous entraîner pour votre prochain film.

Allait-il s'agir d'un film dont l'action se serait déroulée sous la Terreur (avec Gloria Lasso dans le rôle de la Terreur ?), ou bien alliez-vous opter pour un sujet mystique en nous contant la vie de Bernadette Soubirous (mais, dans ce cas, quel acteur auriez-vous choisi pour interpréter le fameux Birous ?) ?

Ensuite, une deuxième question tout aussi angoissante venait à l'esprit à cause de ce mystérieux pré-

nom : Nikita. Vous prétendiez d'abord avoir été inspiré par une chanson d'Elton John.

Aussitôt, je me précipitai sur le disque pour m'en
remémorer le refrain : « *Oh, Nikita, you will never
know anything about my home. I'll never know how
good it feels to hold you, Nikita. I need you so* »,
qui raconte les complications d'une intrigue amou-
reuse de part et d'autre de l'ex-Rideau de Fer, entre
Nikita et sa copine Kathy, et dont cette malhabile traduction ne donne qu'une vague idée : « Nikita niqua-
t-il Kathy et Katia, laquelle nie qu'elle a niqué Nikita
avant qu'il la quittât. Acquitté Nikita ne quitta ni
Kathy ni Katia. »

C'est compliqué, n'est-ce pas ?

Vous me permettrez de souligner en passant que
nous fûmes plusieurs à nous féliciter que vous eussiez préféré Elton John à d'autres chanteurs qui bap-
tisent aussi de prénoms certaines de leurs chansons.
Je pense à Johnny et à sa terrible Gabrielle : « Tu
brûles mon esprit, ton amour étrangle ma vie », ou
bien sûr à Chantal Goya et à son effrayant Pandi
Panda, le célèbre ours mongol qui eût pu intéresser
en vous le cinéaste ami de la vie sauvage que révéla
Le Grand Bleu, à tel point que certaines rumeurs pré-
tendaient que Nikita n'était rien de moins, après les
dauphins, qu'un mérou que vous auriez croisé au
cours de votre précédent tournage, alerté que vous
fûtes à cette occasion par la densité inhabituelle des
bulles dégagées dans son sillage.

En effet, c'est ce jour-là que vous découvrîtes que,
quand le mérou pète, ça fait des bulles, et ce n'est

pas le réalisateur de la pub Butagaz que vous êtes qui me démentira, n'est-ce pas, mon cher Bulle Caisson ? (Eh oui, tout se tient.)

Non, rien de tout cela. Après les fonds océaniques, c'est à une visite des bas-fonds que vous nous conviez, Luc, et s'il s'agit encore d'une plongée, c'est cette fois-ci en eaux troubles qu'elle a lieu, dans un univers policier sous tension.

Enfin, vous ayant mis moi-même, je le vois bien, sous tension avec mes sous-entendus, je peux bien vous le confier : après cette avalanche de sous et de dessous, il est deux choses dont je suis sûr, c'est que j'ai adoré votre *Nikita* et que, en ce qui me concerne, c'est pas mal pour un jeudi.

portrait de

Jane Birkin

Hier soir, à la même heure, sur ce même plateau, j'évoquais les liens qui unissent souvent d'un jour sur l'autre les invités qui défilent sur ce fauteuil que vous occupez ce soir si gracieusement, ma chère Jane (vous permettez que je vous appelle Jane ?). Et, pour cela, je me livrai à une démonstration qui, pour être fondée, n'en laissa pas moins mon Philou aussi sceptique que la fosse d'orchestre d'où il assista à une représentation de votre nouvelle pièce. Et pourtant, j'avais raison, comme je vais m'empresser de le prouver à nouveau.

Oui, dans *Nulle part ailleurs*, tout se tient, tout s'enchaîne, et tout s'articule.

Regardez, Jane, ce diagramme que j'ai patiemment ébauché pour vous rendre plus claire ma démonstration, et plus évidente la corrélation qui existe entre vous et nos invités d'hier et de demain.

Partons donc de Jeane Manson que nous recevions hier, Jane (et avec qui, je vous l'apprends, vous avez au moins un point commun, outre l'accent. En effet, toutes deux, vous posâtes, plus jeunes, dans le plus

simple appareil, Jeane prouvant ainsi qu'elle était
sans-gêne, et vous, Jane, sans jeans).

Partons donc de Jeane : que découvrons-nous ?

Eh bien, qu'elle fut la compagne de Richard Berry
(qu'elle surnommait affectueusement, on le voit là,
Ouistiti, pour des raisons que la décence m'interdit
d'expliciter ici).

Or, c'est avec Richard Berry que vous jouâtes *L'Ex-
Femme de ma vie*, l'ex-femme de la vie de Richard
étant Jeane Manson, comme je le disais, laquelle est
devenue entre-temps la nouvelle femme de la vie
d'Allain Bougrain-Dubourg (qu'elle surnomme affectueusement Queue d'âne, pour des raisons que la
même décence m'interdit encore de développer). Je
dirai seulement que ce surnom vint à Allain après qu'il
eut lui-même été l'homme de la vie de Brigitte Bardot, et que c'est dans leur séparation qu'il faut chercher aujourd'hui la paradoxale phobie qui habite B.B.
(j'ai pas dit « bite de B.B. », bite de B.B., c'est Richard
Berry), phobie pour les ânes priapiques, et qui la
pousse à les réduire par tous les moyens.

Phobie dont elle ne souffrait pas à l'époque où fut
prise cette photo en votre compagnie, Jane, où on
la voit exercer son droit d'ânesse et qui va me donner l'occasion, si vous me le permettez, d'un court
aparté : figurez-vous que c'est en contemplant ce cli-
ché que j'eus pour la première fois la révélation —
tardive j'en conviens — du corps de la femme avec
des poils.

Double révélation, serais-je tenté de dire, puisque,
à cette occasion, je découvris avec stupeur qu'en

contemplant le corps de la femme avec des poils le
corps de l'homme subissait une métamorphose in-
contrôlable et qu'il n'était pas besoin de mentir
comme Pinocchio pour voir s'allonger tel ou tel
appendice.

Mais revenons à notre démonstration, et notons
au passage, au-dessous de Brigitte Bardot et d'Allain
Bougrain-Dubourg, le nom de Serge Gainsbourg,
lequel vous fit chanter toutes les deux, comme il fit
chanter toutes les plus jolies femmes de notre pays,
à l'exception toutefois de Chantal Goya, même si
celle-ci, dans son dernier spectacle, n'hésite pas à
interpréter en duo avec un nain de sa troupe *Je t'aime
moi non plus*, une véritable prouesse, puisque le petit
partenaire de Chantal souffre d'un deuxième handicap et, au moment où il murmure, à califourchon
sur elle : « Je vais et je viens, entre tes reins et… je
me retiens », n'arrive précisément jamais à se retenir, au grand dam des parents présents dans la salle.

Enfin, notons la présence, dans l'atomium pigno-
lesque de mon diagramme, de Sylvie Joly, qui n'a
strictement aucun rapport avec vous, sinon que vous
êtes jolie, dois-je le rappeler, en dépit d'une bouche
qui n'est pas sans évoquer l'hypothétique résultat
qu'aurait donné le croisement de la mâchoire supé-
rieure de Fernandel et de la mâchoire inférieure de
Mick Jagger.

Et puis Jacques Doillon, votre actuel compagnon,
qui réchauffait, il y a peu encore, le fauteuil que vous
occupez, je n'hésite pas à me répéter, si gracieusement ce soir.

Et puis et puis, Demis Roussos, dont les liens avec Allain Bougrain-Dubourg, grand spécialiste du documentaire animalier, sont de notoriété publique, et enfin, en bas, Dick Rivers, parce qu'il m'a demandé que je parle de lui.

Jacques Doillon, le cinéaste de la pudeur, de la sobriété et de l'ellipse, dans les bras duquel, pour les raisons que je viens d'énumérer, il était naturel que vous vous retrouvassiez. Car si pudeur, sobriété et sens de l'ellipse sont les principales qualités de la Jane que l'on connaît, il ne faut pas oublier que vos formes elliptiques — je parle surtout de la quasi-androgynie de votre buste — vous confinèrent pendant longtemps dans des rôles exclusivement adaptés à votre silhouette.

Ainsi, si le grand public a encore en mémoire des films tels que *La Piscine*, *La Pirate*, ou *La moutarde me monte au nez*, il a oublié que c'est la modestie de ce que Philou désigne (quand il se laisse aller) sous le vocable familier de « nichons » (hier encore, ne me disait-il pas après l'émission avec Jeane Manson : « T'as noté la paire de nichons ? Eh bien, garde-les en mémoire ; demain on joue relâche ! »), oui, le public a oublié que votre morphologie très particulière vous colla injustement une étiquette sommaire.

Ainsi, dans *La Femme du boulanger*, vous étiez la planche à pain ; la montre extra-plate dans *L'Horloger de Saint-Paul*, c'était vous ; la limande dans *Pêcheur d'Islande*, encore vous ; et, enfin, la crêpe des *Galettes de Pont-Aven*, toujours vous. Heureusement, Jane, aujourd'hui tous ces torts sont réparés, à tel point que vous avez pris une superbe revanche, puisque c'est vous qui montez sur les planches.

En tant que connaisseur, laissez-moi vous féliciter.

portrait de

Claude Brasseur

Je ne vous apprends pas, Philippe, qu'en accueillant Claude (vous permettez que je vous appelle Claude ?) c'est un pilier du cinéma français que nous recevons, ou, mieux encore, une colonne de ce temple qu'est le cinéma français et dont Claude Brasseur surveille l'entrée depuis 1956, de manière tout à fait incontournable, comme on dit à *Libération*. Au total, près de cent longs métrages, dont trois avec Sophie Marceau, successivement enfant, jeune fille et femme épanouie par le désir. Autant dire que je n'emploie pas le mot « colonne » à la légère en parlant de Claude, même si, pour une fois, je ne suis pas le seul à le faire, puisque ce matin Philippe, seul dans son bureau, s'exclamait lui aussi : « Ce soir, je me tape la colonne. »

Et je préciserai quant à moi : colosse, plutôt que colonne, le premier ayant, suivant la légende, des pieds d'argile, le même point faible que Claude. En effet, c'est presque un revenant qui foule ce soir notre plateau, Philou, puisqu'il s'en fallut de peu, il y a déjà plus d'un an, que Claude ne s'en allât rejoindre

la trop longue cohorte des talents fauchés en pleine
gloire.

Et, curieusement, non pas par l'un de ces maux
qui sapent les fondements de notre époque, tels
que le cancer, le Sida, la myxomatose, voire même
les accidents de la route auxquels Claude a mira-
culeusement échappé depuis des années si l'on
considère le nombre de rallyes auxquels il a parti-
cipé et même si, pas folle la guêpe, il a toujours
prudemment refusé d'avoir pour copilote Sacha
Distel.

Non, figurez-vous, Philou, que c'est tout bêtement
sur les planches insalubres d'un théâtre grenoblois
où Claude interprétait le Dandin de Molière, pieds
nus, que le destin s'abattit sur lui.

Une malencontreuse écharde ramassée lors d'une
représentation fut en effet à l'origine d'une infection
carabinée, qui faillit lui coûter l'orteil, puis le pied,
puis le mollet, la jambe tout entière enfin, et pour
finir la vie. On décèlera bien sûr dans cet incident
l'incroyable ironie du sort qui permet à un comédien
comme Claude de se livrer aux plus périlleuses cas-
cades, pour le frapper finalement par l'entremise d'un
incisif petit bout de bois dont Dick Rivers n'aurait
même pas voulu pour se curer le complet. Un peu
comme si Nicolas Hulot s'auto-inoculait la gangrène
en reprisant son Thermolactyl sans avoir pris soin
d'enfiler son dé à coudre.

Oui, un stupide accident survenu simplement parce
que Claude, poussant la conscience professionnelle
à bout, jouait une scène pieds nus comme l'exige le

texte, et cela en dépit des protestations véhémentes
des premiers rangs incommodés.

Réjouissons-nous donc que Claude n'ait pas eu,
en cette période d'active commémoration, à jouer le
rôle d'un sans-culotte. Je tremble rétrospectivement
à l'idée de la mutilante opération à laquelle se serait
résolu le chirurgien s'écriant : « Ce membre, il fallait bien que je l'amputasse. » Certainement que
l'image flatteuse dont jouit Claude auprès du public
féminin en eût subi un fatal contrecoup.

Mais j'extrapole.

En accueillant Claude ce soir, c'est donc un peu
un revenant que nous avons le plaisir de retrouver.
Et je me permettrai de mettre l'accent sur l'héroïsme
dont il fit preuve pour revenir au premier plan. A
peine remis sur ses gros orteils, Claude fit en effet
des pieds et des mains pour surmonter son handicap,
jusqu'au point paradoxal d'un retour sur scène sans
boiter, puisque, sur les planches rabotées de près du
théâtre Montparnasse, ce n'est pas lui qui incarne Tal-
leyrand, le pied-bot illustre, mais Claude Rich. Et je
trouve cela d'autant plus stupéfiant que, ce faisant,
Claude échappe à la malédiction qui pesait sur sa
famille depuis trois générations.

Je m'explique.

Vous n'êtes pas sans savoir, Philou, que, chez les
Brasseur, on l'est de père en fils. Brasseur. Mais aussi
comédiens. Le père de Claude l'était, et le père du
père de Claude aussi. Lequel, père du père de Claude,
jouait — et c'est authentique — auprès de Sarah
Bernhardt. Laquelle Sarah — vous l'apprends-je ? —,

alors qu'elle jouait nu-pieds ou sans culotte (l'histoire ne le précise pas) au côté du père du père de Claude, contracta la gangrène à cause, elle aussi, d'une grosse écharde et dut se faire amputer d'une jambe pour de bon. Une anecdote célèbre rapporte du reste qu'après l'opération, chaque fois qu'on frappait les trois coups dans les coulisses, il se trouvait toujours un plaisantin pour chuchoter : « La voilà. » C'est amusant.

Remercions donc le ciel de n'avoir pas eu à faire la même remarque en entendant arriver Claude, d'autant plus que, répétons-le, il revient de loin.

portrait de

Jean-Claude Brialy

Autant vous l'avouer, Jean-Claude (vous permettez que je vous appelle Jean-Claude ?), c'est sur une émotion forte que démarra cette journée qu'ensoleille votre venue parmi nous. En effet, alors que je passais une tête dans le réduit qui tient lieu de bureau à Philippe, pour m'enquérir du nom de notre invité de ce soir, j'eus la surprise de découvrir sur le tableau noir, où jour après jour Philippe inscrit à la craie le nom de l'invité (obéissant par là même à une habitude contractée alors qu'il était tout petit, c'est-à-dire depuis toujours), j'eus la surprise, disais-je, de lire les initiales suivantes : J.-C. B.

A cette découverte, un léger frisson parcourut mon épine dorsale, moins développée, je le reconnais, que la ventrale, mais suffisamment longue toutefois pour enregistrer, tel un sismographe intime, les moindres secousses de mon effroi. J.-C. B... Car, vous me le pardonnerez, Jean-Claude, mais, à cet instant, les deux seuls noms qui pouvaient répondre à ces initiales dans mon Panthéon personnel n'incluaient pas le vôtre. En effet, je croyais ne connaître que deux J.-C. B.

Le premier, vieux chef indien de la tribu apache, dont je croisai il y a quelques années la piste : le célèbre Jumbo-Couilles-de-Bison.

Le deuxième, dont j'hésite à prononcer ici le nom et qui, s'il ne jouit pas de toutes ses facultés mentales, au dire de Mme Cubbada, sa collègue de bureau, jouit, en revanche, d'attributs aussi convaincants que ceux du Bison. Je parle bien entendu de J.-C. Bourret.

Mais tournons l'Apache.

Passé ce moment d'hébétude prostrée, ma joie n'en fut donc que plus grande lorsque Philippe, dissipant toute confusion, me tendit une photo sur laquelle j'eus d'autant moins de mal à mettre un nom qu'il s'agissait de la vôtre.

Oui, je me réjouis alors, Jean-Claude, à l'idée d'avoir à vous tirer (et bien qu'il ne fût question que du portrait). Mais rapidement l'enthousiasme laissa place à la perplexité, en songeant à la palette des talents que vous exercez avec un égal bonheur à la scène, à l'écran, en coulisses, à la campagne, à la radio, à pied, à cheval, à voile, en voiture, dans la presse, sans parler même de ces dîners mondains dont vous êtes tout à la fois l'épice et le plat de résistance.

Oui, après l'euphorie vint le doute : par quel bout allais-je vous prendre, Jean-Claude ? Alliez-vous même tolérer que je vous prisse par un bout, vous, l'insaisissable touche-à-tout, et, si oui, lequel ?

Par mesure de sécurité, je décidai donc d'en rester au théâtre, raison officielle de votre présence parmi nous ce soir, mais aussi votre passion de cœur qui vous permet de conjuguer simultanément votre amour de la scène et de Sacha Guitry. La scène, pour laquelle vous n'hésitez pas, nonobstant les risques, à acheter un théâtre quand la plupart de vos confrères préfèrent investir dans la pierre du côté de Merlin-Plage.

Et pas n'importe quel théâtre, puisqu'il s'agit des Bouffes-Parisiens, une salle qui, paradoxalement, ne nourrit pas son homme puisque la pièce que vous y présentâtes précédemment fut jouée courageusement à fonds perdus. Je parle bien sûr du *Bacchus* de Jean Cocteau, montée par Jean Marais (pas Cocteau, Bacchus — quoique).

Rappellerai-je également la direction artistique du festival d'Anjou qui vous a été confiée, un festival créé en 1950 par Albert Camus, qui ne se contente pas, ces jours-ci, de se retourner dans sa tombe, mais y effectue des doubles salto arrière de toute beauté depuis qu'il sait que Francis Huster a eu l'effroyable intention d'adapter *La Peste*, à laquelle, je vous en fiche mon billet, il parviendra à survivre ?

Oui, Jean-Claude, tout cela vous le faites avec cette élégance dont vous êtes l'un des parangons, comme vous le prouvâtes encore hier midi, dans une émission de télévision, en proclamant, par exemple, votre préférence marquée pour le slip traditionnel, celui avec la poche kangourou devant, au détriment de l'inconfortable et vulgaire calfouet.

Émission où vous révélâtes également que c'est dans le plus simple appareil — et quel appareil, me suis-je laissé dire — que vous vous laissiez aller chaque soir dans les bras de Morphée (dieu masculin du sommeil). Sans oublier ces épingles de cravate que vous arborez malicieusement à votre revers, dans le but prosaïque, je vous cite, d'«emballer».

Ce sont bien sûr les seuls revers que je vous souhaite, Jean-Claude, et, pour ce qui est d'être emballé, vous savez bien que c'est depuis longtemps chose faite.

Et je ne suis pas le seul.

portrait de

Philippe de Broca

Laissez-moi commencer par vous dire, mon cher Philippe (vous permettez que je vous appelle Philippe ? et vous, Philippe, vous permettez que j'appelle Philippe Philippe ?), oui, laissez-moi commencer par vous dire, Philippe, ceci : sachant que *Chouans* avait été si chouette, j'aurais bien été scié si votre film suivant, lui, avait été chiant.

Car, nous avoir montré Sophie Marceau sans culotte entre Lambert Wilson et Philippe Noiret, c'était déjà bien alléchant (surtout pour Noiret), mais nous offrir aujourd'hui, avec *Shéhérazade*, le spectacle d'Aladin enfilant un djinn dans une lampe, et à l'huile, n'est-ce pas encore plus touchant ?

Les blasés auront beau objecter que le cinéma n'avait pas attendu après vous pour donner dans l'exotisme proche-oriental — et de citer en vrac quelques classiques du genre : *Bagdad Café*, *Coup de boule à Istanbul*, avec Yul Brynner, *Une grognasse à Damas*, avec Jeanne Mas, ou encore *Tu la sens ma biroute ouest ?*, diffusé récemment sur l'Aoune, sans même parler d'*Ali Baba et les Quarante Violeurs*, un film de Kurdes avec Brigitte Lahaie —, certes, il y eut tous ces films, mais aucune de ces productions n'atteint à l'originalité des *Mille et Une Nuits* auxquelles Philippe de Broca semble avoir consacré les siennes — je parle des nuits —, si j'en crois les belles valises qu'il porte sous les yeux, avec infiniment plus de grâce toutefois qu'une Linda de Suza les débarquant — je parle toujours des siennes — gare d'Austerlitz. Et la première originalité de votre film n'est-elle pas d'avoir été tourné au Maroc et non en Irak ? Tout simplement parce que vous étiez sûr d'y trouver les plus belles paires de fez que Thierry Lhermitte — roi de Bagdad — collectionne dans son harem. Un vivier à épouses qui fait d'ailleurs trembler de convoitise l'épuisette pourtant blasée d'un Eddy Barclay. Et je ne parle pas, décence oblige, de la paire de Freiss (Stéphane), qui incarne un Aladin bien séduisant. Mais je ne vais pas dévoiler la moukère — en l'occurrence Zeta Jones, Shéhérazade plus succulente qu'un loukoum — en vous racontant l'intrigue abracadabrante d'une histoire aussi étourdissante que le tambour d'une machine à laver.

Je vous le garantis (sans phosphates), vous vous amuserez tant aux exploits du bouillant Génie — Jugnot — affrontant le vilain Vizir un peu Omo — Roger Carel — annoncé par ses gardes au cri subliminal de : « Vizir, voici Vizir », oui, vous vous amuserez tant, que c'est complètement lessivés de rire que vous sortirez du cinéma. Cette histoire merveilleuse m'a envoûté à ce point que, hier soir, en retrouvant mon lit, je me suis assoupi pour rêver qu'à mon tour j'étais Aladin. Je ne suis pas le seul dont l'imaginaire a été stimulé par vos réalisations. Gloria Lasso ne trouva-t-elle pas un sens à sa vie en allant voir *L'Amour à travers les âges*? *L'Homme de Rio* ne donna-t-il pas à Dario Moreno l'idée de monter là-haut? Et n'est-ce pas après avoir vu *Le Diable par l'ake* que Johnny eut l'envie de faire du cinéma?

Tel Bébel dans votre film *Le Magnifique*, j'ai soudain quitté la dure réalité d'une existence laborieuse et rétribuée chichement pour m'identifier au héros d'une fiction formidablement cocasse. Et me voilà en Aladin de la pignole, décollant sur le paillasson pectoral de Demis Roussos en guise de tapis volant.

Destination : le ciel en toc du PAF, afin d'y exaucer mes vœux magiques. Rien de plus facile, puisque je possède moi aussi une lampe, dont il me suffit de frotter chaque soir la grosse mèche pour atteindre à l'extase de visions éblouissantes.

C'est ainsi que par miracle, dans mon songe, Philou fut gratifié des soixante-quinze centimètres dont un mauvais génie l'avait privé petit, le vouant méchamment à présenter debout le reste de son existence.

Poursuivant mon vol, je passai au-dessus de la troisième, où, par les vertus de mon ver luisant, le public de Jacques Chancel, comme se réveillant d'un long sommeil hypnotique, retrouvait soudain goût à la vie. A la verticale de celle qui n'en a qu'une, je n'eus qu'un mot à dire pour que *La Roue de la fortune* se détachât dans le virage de la crédulité abusée, pour aller s'écraser sur le plateau du *Club*

Dorothée matin, après avoir emporté pêle-mêle, dans son sillage, *Marc et Sophie*, *Les Musclés*, le scooter des neiges de Nicolas Hulot, le complet de Sabatier et le casque de pompier de Pascal Sevran.

C'était hélas ! trop de souhaits exprimés d'un seul coup. Ayant soudain épuisé le crédit merveilleux de ma lampe aussi extraordinaire que le jouet de Claude François, je sentis mon paillasson pectoral volant plonger en un vertigineux piqué vers le plancher des vaches.

Et c'est au pied de mon lit que je me réveillai en pleine nuit, me consolant cependant de cet atterrissage forcé en me disant qu'une nuit de plus ou de moins importait peu, puisque m'attendaient les mille et une autres que vous nous offrez, Philippe.

Oui, une bonne raison de me dire : « Pas mal pour un jeudi ! »

portrait de

Cabu

Mon cher Cabu (vous permettez que je vous appelle Cabu, Jean ?), dans l'ouvrage tout récent qui vous est consacré, dont au sujet duquel il sera question ici ce soir et intitulé *Cabu passe aux aveux* (aveux extorqués par Jean-Paul Tiberi qui, soulignons-le au passage, n'a qu'une troublante homonymie, à un Paul près, avec le bras droit de Jacques Chirac, dont on peut supposer, vu le traitement que vous lui avez plusieurs fois réservé, qu'il vous les aurait extorqués de manière un peu plus radicale, les aveux), dans cet ouvrage, disais-je donc, réconfortant s'il en est, et qui, avec la parution conjointe de vos *Interdits* (titre paradoxal, me permettrez-vous de faire remarquer, puisque, étant publiés, ils ne le sont plus, interdits), laisse quelque espoir de rémission à tous les esprits libres, accablés de voir le monde de l'édition se transformer lentement mais sûrement en industrie de la cale à armoire normande, façon Sulitzer.

Oui, dans cet ouvrage (vous allez voir, je vais finir par y venir), vous dites, à propos du dessin, « qu'il permet d'évoquer des scènes ou des lieux impossibles à photographier ».

Et c'est très exactement ce à quoi je pensais hier soir, en assistant au énième Gala de la Presse, déplorant vivement de ne pas vous avoir à mes côtés pour croquer de votre crayon acerbe les numéros présentés, et qui, mettant en scène nombre de mes consœurs et confrères de l'audiovisuel, dépassaient, comme vous pouvez l'imaginer, l'entendement.

Il faut dire que la soirée démarra sur les chapeaux de roue avec Jacques Chancel, qui, mêlant habilement présentation traditionnelle et démonstration d'hypnose, parvint, en moins de temps qu'il ne m'en faut pour vous le dire, à endormir profondément les premiers rangs, qui ne durent leur réveil qu'aux gifles et aux seaux d'eau glacée que leur balancèrent les hommes de piste.

Mais ce n'était qu'un début. Vint ensuite un numéro de voyance animale, réalisé conjointement par Michèle Cotta et Léon Zitrone, la première déguisée en diseuse de bonne aventure, tandis que le second, imitant sans effort l'hippopotame neurasthénique de Centrafrique, lui présentait, pour qu'elle y lise l'avenir du PAF, ses propres boules, dans lesquelles je vous défie pourtant de pouvoir lire quelque avenir que ce soit.

Mais attendez, il y avait encore mieux. Tandis que Thierry Roland se libérait enfin, en un renvoi sonore, du gaz aérophagique qui semble l'opprimer depuis des années, Robert Chapatte, lui, fidèle à sa légende, vidait sans reprendre son souffle trois litres de cognac cul sec, pendant qu'Henry Chapier, lui, se chargeait de vider un vieil armagnac, mais pas cul sec, et cela pour des raisons sur lesquelles j'éviterai de m'étendre.

Enfin, ne pouvant tout énumérer, je ne vous parlerai encore que du célèbre animateur d'*Ushuaïa*, qui, enfourchant un cheval sauvage, débeula, déguisé en lancier allemand de la Première Guerre mondiale et coiffé du célèbre casque à pointe, pour faire un tour de piste en tant qu'uhlan.

Oh oui, Cabu, combien j'ai regretté que vous ne fussiez là pour immortaliser tout ce cirque, comme vous le faites depuis des années du cirque plus vaste de l'actualité, brocardant avec une jubilation qui ne s'est jamais démentie la clownerie, parfois sinistre, d'une époque dont vous arrivez toujours, fût-ce dans les circonstances les plus tragiques, à nous faire rire, comme le dit si justement Jean-Paul Tiberi, dans son chapitre intitulé « Cabu, le dessinateur qui nous fait rire, fût-ce dans les circonstances les plus tragiques ».

Or, vous l'avez peut-être remarqué, Cabu, c'est ce que, soir après soir, je m'efforce moi-même de faire, comme on s'en rend d'ailleurs très bien compte dans le petit ouvrage que j'ai cosigné, intitulé *Vous permettez que je vous appelle Raymond ?*, collection Point-Virgule, Éditions du Seuil, 30 francs prix conseillé (et dont je me permets de vous faire cadeau).

Mais je vous le dis comme je le pense, Cabu, et vous savez que je n'ai pas le compliment facile (ou alors il faudrait que je sois beaucoup mieux payé qu'ici), la distance qui nous sépare est celle que l'on trouve entre le maître et l'élève. Car combien de fois ne suis-je tombé sur l'un de vos croquis, en m'exclamant : « Ah ! ce Cabu, quel talent inépuisable, et dire qu'il arrive à nous faire rire, fût-ce dans les circonstances les plus tragiques. »

Car voilà longtemps que vous érigeâtes en principe les règles décapantes de votre jeu de massacre pictural, n'hésitant pas à appeler un chat un chat, et Roger Hanin un beauf.

Et d'ailleurs, ne furent-elles pas légion, toutes ces têtes de Turc que, bien avant nous, vous dégommâtes, au point de vous faire traîner en justice sous les fallacieux prétextes que vous aviez osé mettre en lumière — pour ne citer que quelques exemples — les oreilles d'Alain Peyrefitte, le râtelier hippophagique de Denise Fabre, l'œil inhumain de Jean-Marie (je parle du gauche, celui qui voit) ou l'immense talent de Chantal Goya.

N'avez-vous pas créé un des archétypes les plus représentatifs de cette fin du XXe siècle, le beauf, une des rares espèces qui ne semble, hélas ! pas en voie d'extinction, si l'on se réfère à ce qui se passe à Nice.

Ah, Cabu, puissiez-vous encore longtemps tisonner de votre impitoyable crayon les braises toujours vivaces de l'universelle connerie, celle qui différencie l'homme de l'animal et l'animal de Dorothée !

Oui, pour tout cela, merci, Jean.

Dick Rivers sans sa moumoute
(avec l'aimable autorisation de Cabu).

portrait de

Georges de Caunes

Il est des jours dans l'existence dont on sait avec
certitude que, bien plus tard, on s'en souviendra
encore avec la même émotion que celle qui étreint
le dernier rhinocéros centrafricain apprenant que
Michel Droit a été contraint d'annuler son safari,
faute de munitions.

Oui, ce délicat et subtil mélange d'émotion et de
soulagement, je l'éprouve moi-même aujourd'hui
pour deux raisons, à la fois concomitantes et superfétatoires.

Le soulagement d'abord, puisque le badge que
j'arbore à mon revers, représentant Jean-Claude
Bourret accueillant d'un sourire béat une délégation
d'extraterrestres amateurs de vélo tout terrain, atteste
que nous sommes, à nouveau, Jean-Claude et moi,
les meilleurs amis du monde. Surtout Jean-Claude.
Une réconciliation qui s'est faite au vu et au su de
millions de téléspectateurs ce midi sur La Cinq, et
sous l'œil bienveillant de celui à qui je dois, j'y viens,
la grande émotion de cette journée et qui, à l'instant
même, me couve d'un regard bienveillant, où brille

une lueur de tendresse paternelle d'autant plus explicable qu'il s'agit de mon vrai père, Georges (tu permets que je t'appelle Papa?).

Oui, Philou, elle est facile à comprendre, cette émotion qui m'habite et me noue, et je sais déjà que vous pardonnerez au portraitiste quelque peu cynique et narquois que je suis habituellement d'observer pour une fois, en marque de respect à l'égard de mon glorieux géniteur, une retenue dont je ne peux que me réjouir qu'il n'en ait pas lui-même fait preuve le jour de ma conception, puisque, si tel avait été le cas, je ne serais pas là ce soir pour l'en remercier. Une absence qui, inévitablement, aurait été plus que dommageable au succès de cette émission, dont je me flatte en toute modestie qu'il repose en grande partie sur l'excellence de ma prestation, dans laquelle les amateurs du genre auront depuis longtemps décelé un art de la pignole directement hérité de celui dont, paradoxe télévisuel, je suis censé, ce soir, brosser le portrait.

Vous me suivez?

Mais il y a un instant, alors que j'évoquais mon père, en précisant qu'il s'agissait de mon vrai père, je vous ai senti frémir, Philippe. Et j'ai lu, dans votre regard incrédule de bas Breton circonspect, cette angoissante question : «Y en aurait-il donc un faux?» Bien sûr que non, Philou, mais souvenez-vous : il y a un peu plus d'un an, nous recevions Frédéric Dard, et déjà j'avais évoqué cette notion de paternité. Oui, je parlais de lui comme d'un père spirituel, certes, mais comme d'un père.

Or, il se trouve que mon véritable père, ici présent, est lui-même un homme très spirituel. Me voilà donc avec deux paires, ce qui peut s'avérer encombrant — ce ne sont pas Igor et Grischka Bogdanoff qui me contrediront.

Mais je vous laisse imaginer ce qui aurait pu m'arriver si le président Chaban, que nous recevions hier, avait été lui aussi mon père spirituel, étant donné qu'il est maire. De Bordeaux, certes, mais maire quand même. Et avoir un maire pour père, alors qu'on a déjà une paire de paires, eh bien laissez-moi vous dire qu'une telle confusion des genres explique que certains de mes confrères se retrouvent à présenter *La Chance aux chansons*. Vous voyez donc à quoi j'ai échappé.

Cela dit, je vous parlais de confrères, et vous noterez au passage que si mon père avait exercé son activité à l'époque où moi je démarrais la mienne, bien que père et fils, nous aurions été confrères. Et nous n'aurions pas été les seuls puisque au jour où je vous parle, tel est le cas de Léon Zitrone et de son fils Philippe, qui, tout le monde le sait, sont aussi confrères l'un que l'autre. Non ! Pour éviter un tel pataquès, j'ai attendu, comme dit l'opéra, pour entrer dans la carrière que mes aînés en fussent sortis, même si, à ma connaissance, mon père n'entretint jamais de relations coupables avec Jean-Claude Carrière, bien qu'ils partagent le même éditeur.

Et je crois avoir eu raison d'attendre, ne fût-ce que pour mieux m'inspirer de son exemple. Car si je me fais aujourd'hui le défenseur de cette indépendance d'esprit et de cette liberté de ton dont toujours il fut l'un des hérauts (au sourire si doux, ai-je besoin de le souligner ?), oui, si aujourd'hui j'apparais à mon tour comme l'avocat de ce genre de tempérament (avocat, comme l'est d'ailleurs mon oncle Louis, exerçant je le rappelle au 20, rue du Languedoc, à Toulouse 31000), c'est tout simplement parce que j'éprouve la légitime fierté du rejeton cadet de Demis Roussos observant son géniteur s'éloigner de liane en liane dans le soleil couchant. Oui, je l'éprouve, cette fierté, à être le fils de ce père-là.

portrait de

Claude Chabrol

Je ne m'étonne que modérément, mon cher Claude
(vous permettez que je vous appelle Claude ?), que
ce soit avec un film érotique sous le bras — et, qui
plus est, votre premier ; vous me direz : quitte à faire
un film érotique, autant attendre d'être soi-même
sexagénaire, ah ah ah —, oui, je ne m'étonne que
modérément, mon cher Claude, que ce soit avec un
film érotique sous le bras que vous nous rendiez visite
ce soir, puisque la dernière fois que nous avons évoqué votre nom sur ce plateau ce fut à l'occasion de
la venue de Mathilda May, que vous veniez de diri-
ger dans *Le Cri du hibou*, un film que Philou avait
trouvé si chouette que pendant plusieurs jours nous
eûmes un mal fou à le maîtriser, puisqu'il avait choisi
d'élire domicile en haut de son armoire, crispé sur
un poster de Mathilda largement dévêtue — même
qu'on y voyait les poils —, et que de là-haut il expri-
mait en ululements continus son admiration pour sa
troublante plastique.

Oui, Claude, tous ici nous trouvâmes naturel
qu'après avoir tourné avec Mathilda, qui, mieux que

nulle autre, sait réveiller en chaque cochon l'homme qui sommeille, vous choisîtes de vous essayer à votre tour à un film exaspérant ces pulsions charcutières que trop longtemps vous réprimâtes.

D'autant plus que, si l'on y réfléchit, tout vous prédisposait à réaliser un jour ou l'autre un film cochon.

Attardons-nous quelques instants, par exemple, à une lecture psychanalytique des titres de vos films, au non-dit révélateur — je n'en citerai qu'un, pour ne pas effrayer notre public : *Docteur Popaul*. Franchement, Claude, qui croyez-vous abuser ? Mais il y a pire. N'êtes-vous pas né sous le signe de saint Claude, votre patron, qui est aussi celui de ces fiers artisans du Jura, les tailleurs de pipes ? Pipes dont vous êtes, vous-même, un des inlassables zélateurs, puisque j'ai relevé dans la presse qu'il vous arrivait d'en bourrer jusqu'à huit par jour et que rares sont les moments où l'on peut vous surprendre la bouche enfin libre de ce pesant attribut.

Vous me direz : « Je ne suis pas le seul dans le milieu du cinéma à puiser mon inspiration en tétant un tuyau. » Brigitte Lahaie, pour ne citer qu'elle, n'a-t-elle pas démontré brillamment, dans des films tels que *J'ai du bon tabac, tu n'en auras pas*, *Bourre-moi le fourneau, je te ventilerai le tuyau*, que l'usage approprié de cet instrument oblong méritait qu'on lui consacrât une attention toute particulière ?

D'ailleurs, n'avez-vous pas la réputation de pousser votre passion pour ce mode de consommation de tabac jusqu'à, paraît-il, y soumettre les comédiennes qui émettent le désir de travailler sous votre férule ? Enfin, ce sont des bruits qui courent, Claude, et dont je me contente de me faire ici l'écho.

Toujours est-il que je me sens obligé, en tant qu'ancien fumeur moi-même, de mettre en garde l'adepte de la pipe que vous persistez à être. Attention : abus dangereux, Claude.

Et, du reste, n'avez-vous pas eu, il y a quelques années, une sérieuse alerte, alors qu'inaugurant un bateau sur le lac d'Annecy vous fûtes victime d'une attaque. Il faut dire, Chacha (Chacha : c'est bien votre surnom ?), qu'alors que vous dîniez un autre Sacha, je parle de Distel, Sacha Distel, se chargeait d'animer en chansons vos ripailles nautiques.

Attention ! contrairement à ce qu'attend ici notre public, habitué aux efforts faciles d'une plaisanterie automobile que je me suis engagé auprès de Sacha à ne plus faire (de toute façon, il est rare de croiser un pylône EDF en plein milieu d'un lac), oui, contrairement à ce qu'attend ici notre public, ce ne fut pas l'écoute des chansons de Sacha qui faillit vous être fatale, mais l'ingestion répétée d'air, due à l'habitude contractée lors de votre adolescence d'avaler la fumée de vos pipes.

Oui, Claude, soudain vous fûtes victime d'un malaise, dont seul vous soulagea — pardonnez-moi la crudité de l'expression, Philou, mais je ne fais que citer Claude — « un pet énorme libéré sur le quai ». Attention, Claude, c'était un avertissement.

Mais revenons à votre film *Jours tranquilles à Clichy* et arrêtons-nous un instant sur un détail qui ramènera un peu de fraîcheur sur ce plateau, comme

Sacha, encore lui, quand il vaporise en chantant son célèbre Wizard.

Oui, un détail qui m'a étonné puisqu'il me touche de près : celui du choix de la fille d'une consœur, en l'occurrence Michèle Cotta, pour tenir un des premiers rôles de votre film.

En effet, rétrospectivement, j'ai frémi à l'idée que vous aviez prospecté dans le milieu de la télévision, songeant que, mal conseillé dans votre casting, vous auriez pu engager, par exemple, Denise Fabre, dont tout amateur de pipe raisonnable tend légitimement à se méfier, ou encore la fille de Pascal Sevran et de Tintin, qui de toute façon a préféré, il y a quelques années déjà, prendre le voile... et la vapeur aussi d'ailleurs.

Mais tout est bien qui finit bien, et d'ailleurs Philou est revenu aussi enthousiaste de la projection de *Jours tranquilles* que de celle du *Cri du hibou*, si j'en crois les multiples projections, justement, qui suivirent la vôtre sur les murs de son bureau.

Merci, Claude, pour cette nouvelle bouffée de plaisir cinématographique.

portrait de

Julien Clerc

Quand je pense à vous, Julien (vous permettez que je vous appelle Julien ?), la première chose qui me vient à l'esprit, c'est bien entendu cette manière toute particulière que vous avez de moduler la voix et qui, de *La Cavalerie*, en 1968, à *Fais-moi une place* (une chanson, soit dit en passant pour la petite histoire, qui vous fut inspirée par Demis Roussos, le jour où vous le prîtes en stop), reste votre signature, votre griffe serais-je même tenté de dire.

Oui, Julien, ce vibrato si singulier qui vous distingue de la plupart de vos confrères, et qui vous est presque naturel puisqu'il se déclara à l'époque où vous étiez en sixième, xième, xième... Un vibrato qui a marqué une génération de chanteurs hexagonaux, à commencer par France Gall, qui ne resta pas insensible aux vibrations de votre organe, puisque ce n'est pas trahir un secret que de constater qu'au terme de votre liaison elle se mit à son tour à trémuler. Un chevrotement qui s'avoua donc rapidement contagieux, au point d'attirer l'oreille exercée du bien-nommé Michel Berger. Un Michel Berger qui lui-même connaissait déjà la Sanson, si je puis dire, puisque, en matière de trémolos, elle n'y était pas allée très mollo, la Sanson, au point que ce pauvre Michel avait failli devenir chèvre à cause de Véronique. Véronique Sanson.

N'oublions pas qu'à l'époque — je parle ici d'un temps que les moins de 20 ans ne peuvent pas connaître — Claude François venait de triompher avec *Belle belle belle*, même si je me dois de préciser ici que, tandis que la nouvelle génération s'affirmait à travers Julien, grâce, entre autres, à l'usage de ce fameux vibrato, Claude, lui, en réservait l'usage à sa salle de bains. Et d'ailleurs les mauvaises langues insinuent, si j'ose dire, que c'est l'abus d'un vibrato, à l'époque où les piles n'existaient pas encore, qui lui aurait été fatal.

Mais revenons à nos moutons, et tâchons sérieusement de cerner l'origine du timbre qui fait, comme je le disais, la particularité de Julien. Il faut savoir que son papa était d'origine poitevine et que Julien passait ses vacances d'été dans le Poitou, célèbre dans le monde entier pour ses chabichous, succulents petits fromages fabriqués à partir du lait de chèvre.

Or, le jeune Julien vouait une véritable passion à ces petits animaux cornus, et c'est à force d'entendre les joyeux troupeaux rentrant du pâturage et chantant dans leur langage : « Hé ho, hé ho, on rentre du boulot », que le petit Julien découvrit simultanément sa vocation et ce don naturel qu'il a à infléchir et à moduler sa voix.

On notera au passage que l'un des premiers à avoir,

à l'époque, remarqué le talent de Julien fut le déjà omniprésent Pascal Sevran, qui passait lui aussi ses vacances en Poitou, à la recherche de nouvelles têtes.

Précisons, et c'est tout à son honneur, que Julien, bien que néophyte, repoussa farouchement les propositions de ce pressant Pygmalion. J'ajouterai quant à moi, puisqu'il y a prescription et quitte à faire une fois de plus de Pascal mon bouc émissaire, que son attirance pour les chèvres n'était pas seulement celle d'un mélomane, mais aussi celle d'un zoologue averti, puisque chacun sait que la chèvre appartient à l'ordre des ongulés.

Enfin, disons que c'est une espèce d'ongulé, si vous préférez. D'ailleurs, à l'époque, Pascal ne promotionnait-il pas à tout-va son jeune protégé d'alors, Hervé Vilard, qui venait de se rendre célèbre avec *Cabri, c'est fini*?

Mais je m'éloigne.

Revenons au Poitou, terre de contrastes, car vous allez voir que tout se tient.

Pour dresser le tableau, rappelons que nous sommes à la fin des années 60.

Dans les campagnes champignonnent ces communautés de jeunes babs citadins décidés à retrouver leurs racines en tirant exclusivement leur subsistance de chèvres faméliques qu'ils traient de la main gauche jusqu'à la dernière goutte, tandis que, de la droite, ils tissent avec leurs poils, je parle des chèvres, quelques ponchos afghans qui les aideront à supporter les rigueurs de l'hiver. Tout ça en fumant des cigarettes de drogue de jeune, roulées dans l'herbe qui rend idiot. Ne riez pas, Philippe, sinon je ressors une fois de plus la photo que j'ai de vous à l'époque.

Or, c'est la région qu'a choisi de prospecter à l'époque le producteur de la célèbre comédie musicale *Hair*, et c'est tout naturellement que Julien est remarqué pour son vibrato unique, qui est à lui seul un véritable reflet de l'air du temps, la marque d'une époque.

Le reste appartient à l'Histoire, et nous ne pouvons que nous réjouir de constater que plus de vingt ans plus tard, comme pour vous remercier de l'avoir tout ce temps fait rêver et chanter, votre public, Julien, toujours autant vous zaime zaime zaime.

portrait de

Jacques Doillon

Il en est qui s'imaginent que, sous prétexte que j'amuse parfois la galerie, j'exerce un métier de tout repos et dont l'essentiel consiste à guetter le bon mot facile, cueilli dans une ivresse capiteuse, mollement vautré sur des sofas chamarrés (tel un Sulitzer placide après l'amour) et savourant des loukoums à la rose pendant qu'une lascive danseuse du ventre s'évertue, sur des airs de flûte ancestraux (les airs, pas la flûte, ma flûte n'ayant rien d'ancestral), à me charmer le serpent.

Hélas ! il n'en est rien, et j'ajouterai même que le métier d'amuseur se compare plutôt à celui, ingrat, des obscurs marins, enfermés à fond de cale dans l'atmosphère confinée de la soute à charbon d'un navire lancé à pleine vapeur. Oui, c'est enfermé dans la salle des machines que j'enfonce à grandes pelletées, dans les chaudières de *Nulle part ailleurs*, le charbon de ma rhétorique. Et cela tandis qu'un autre, coiffé de son inaltérable casque qu'aucune bourrasque n'arrachera jamais, parade sur le pont en devisant gaiement avec ses invités, en sirotant même parfois des cocktails rares à base de curaçao.

Oui, c'est plutôt cette image que m'évoque l'ingrat métier d'amuseur. Car c'est tous les jours qu'il faut aller au charbon pour faire chauffer la vapeur, y compris les jours où l'invité, pour des raisons qui ne regardent que lui, préfère avancer à la voile.

Certains jours, c'est plus difficile encore que d'autres. Ainsi, lorsque nous recevons Enrico Macias venu nous présenter son parfum aux essences de pois chiches, la cause est entendue, et l'on sait que le rire sera au rendez-vous. En revanche, lorsque l'on reçoit Jacques Doillon, dont la réputation est loin d'être celle d'un boute-en-train, on sait dès le départ qu'il faudra redoubler d'efforts pour lui arracher un sourire, puisque, comme il le déclarait lui-même à un journaliste de *Télérama* (le plus joyeux des journaux de télévision, comme chacun sait) : « Si l'être humain sourit en moyenne six minutes par jour, moi, je me situe un peu en dessous de cette moyenne. » Il n'est pas le seul d'ailleurs, et j'en connais même qui rigolent moins de six minutes par mois, qu'il s'agisse des résidents de Beyrouth-Ouest, de Danièle Gilbert, des habitants de l'Afrique du Sud (surtout les Noirs) ou de Chantal Goya, son chirurgien esthétique lui ayant formellement interdit de rire avant l'émission de Patrick Sabatier ce soir en ne pouvant lui garantir la résistance de son vingt-quatrième lifting à un tirage trop brusque des muscles faciaux. (J'en profite du reste pour ouvrir une parenthèse et vous apprendre que Patrick Sabatier, quant à lui, pulvérise la moyenne des six minutes, puisque, en fait, il sourit jour et nuit, à l'exception des six minutes consacrées précisément au détartrage à la brosse métallique de son râtelier.)

Mais je m'éloigne. Et je me suis tellement éloigné que je me demande : parviendrai-je à revenir ?

Mais oui, car, contre toute attente, et aussi ténu soit-il, il existe, ce lien qui vous unit, Jacques, sans que vous le sachiez vous-même, à Enrico Macias. Je vous parlais de son parfum, baptisé *Vous les femmes*. Eh bien, vous les femmes, Jacques, vous êtes au parfum, n'est-ce pas, si j'en crois les titres de vos films : *LA Femme qui pleure*, *LA Drôlesse*, *LA Fille prodigue*, *LA Pirate*, *LA Vie de famille*, *LA Tentation d'Isabelle*, *LA Puritaine*, *LA Fille de quinze ans*, sans parler du prochain, *LA Vengeance d'une femme*. Une liste explicite, célébrant avec force et avec un grand F le culte de la femme, une liste où l'on serait bien en peine de dénicher le moindre titre équivoque du genre : *Avance, Hercule, ou je t'encule*. Oui, la femme dans tous ses états, ou plus exactement la difficulté que nous avons parfois à communiquer avec elle, tour à tour maman, putain, grand-mère, ou femme-enfant, comme dans *La Fille de quinze ans*, votre dernier film, qui narre les aventures obliques d'un tendron, jeune fille à peine en fleur, réduite à son corps défendant par le cuir boucané d'un fringant quadragénaire qui pousse la délicatesse jusqu'à marcher sur les plates-bandes impubères de son fils acnéique. Ah ! Lolita, quand tu nous tiens !

Mais prenez garde, Jacques, vous jouez avec le feu. Regardez ce que deviennent ceux qui, jadis comme

M. Autant-Lara, s'essayèrent à tirer le diable au corps par la queue, exaltant les amours interdites et le détournement de mineurs.

Eh bien, ils finissent très mal, à l'Agagadémie des beaux-arts, séniles, méchants, bêtes, et faisant parfois même sous eux. Bref, un naufrage.

Mais c'est en toute amitié que je vous dis cela, puisqu'il vous reste un demi-siècle pour vous ressaisir. Et j'ajoute : « Courage, Jacques ! »

portrait de

Michel Drucker

Antoine est invité à Champs-Élysées *pour faire le portrait de Michel Drucker.*

Très honnêtement, je n'aurais jamais dû accepter.

Non pas de venir passer quelques instants à *Champs-Élysées* (qui reste quand même une des rares émissions dites de variétés que l'on peut suivre normalement sans qu'on vous y demande de vous travestir en Gloria Lasso jeune pour chanter en duo avec Paul Préboist, ou de deviner au centimètre près la taille des slips kangourous de Jean-Pierre Foucault et dont le chiffre correspond précisément au montant de la super-cagnotte qu'il prétend y dissimuler).

Non ! Quand je dis que je n'aurais jamais dû accepter, je veux bien sûr parler du portrait de Michel (vous permettez que je vous appelle Michel ?), qu'il est un peu sommaire de vouloir résumer ainsi en quelques minutes à un public qui le connaît déjà si bien. Vous me direz, c'est pourtant ce que je fais tous les soirs à Canal, face aux invités que Philippe Gildas met à rôtir sur le gril de ma sagacité (à ce propos, Michel, j'ouvre une parenthèse pour vous remercier, de la part de Philou, d'avoir bien voulu lui communiquer l'adresse de votre coiffeur, mais on ne saura que lundi si la greffe a pris ou non).

Je disais donc que j'ai quotidiennement à brosser le portrait d'un invité, généralement connu du grand public (ou qui essaie de se persuader qu'il l'est), mais la différence avec Michel, c'est que, petit un, il l'est vraiment, connu ; et que, petit deux, il correspond tout à fait à l'image que les gens se font de lui. J'entends par là qu'il est le même en privé et en public, même si le privé aimerait bien l'enlever au public.

Vous me suivez ?

Aussi, je vous le demande, que pourrais-je bien vous apprendre au sujet de Michel que vous ne sachiez déjà ?

- Qu'il sut, dès son plus jeune âge, infléchir une première fois un destin qui avait eu l'indélicatesse de le faire naître en Normandie, à Vire, dans la capitale de l'andouille ?

Une riante cité, qui inspira du reste au jeune Michel son tout premier poème dont je me permets de rappeler ici l'envoi : « Ô, ma jolie ville, célèbre pour tes andouilles / Songer à toi me donne des fourmis dans les bras » (je sais, curieusement, ça ne rime pas).

Que dire d'autre ?

- Qu'une petite vingtaine d'années plus tard, c'est contre le même destin qu'il s'insurgea, alors que n'ayant même pas son bac en poche il choisit le métier d'animateur de télévision, dont chacun sait (à part quelques animateurs de télévision, justement) qu'il ne faut pas être une andouille pour l'exercer ?

- Saviez-vous encore que c'est grâce à Claude François que Michel rencontra la femme de sa vie, la belle Dany, dont la troublante blondeur me poussa à m'interroger sur la raison pour laquelle la quasi-totalité des animateurs de télévision (andouilles ou non) préfèrent les blondes : Michel et Dany, Philippe et Maryse, Patrick et Fanfan, Jean-Pierre et Évelyne, Pascal et Tintin, et enfin, pardonnez ma franchise, Antoine et Dany, Maryse, Fanfan et Geneviève ? (Non, pas Tintin.)

Oui, c'est grâce à Claude François, qui avait invité Dany dans une émission que présentait Michel, que le miracle eut lieu. Il faut dire que pendant que Cloclo interprétait sur scène son célèbre tube *Le Jouet extraordinaire* (celui qui faisait *zip* quand il roulait, *bap* quand il tournait, et *brrrrr* quand il marchait), Michel, lui, en coulisses, expliquait le fonctionnement du sien à Dany.

- Vous apprendrai-je encore à quel point Michel est attiré par le monde sportif, puisque, non content de partager avec moi une passion sans limites pour le vélo (et bien que nous n'envisagions pas pour l'instant de rouler en tandem — aucun de nous deux ne se décidant à présenter le dos à l'autre), il fut pendant longtemps l'inter de la célèbre équipe de foot des Polymusclés Intermittents, dans les cages de laquelle s'activait non pas un Demis Roussos déchaîné, mais Jean-Paul Belmondo, pendant que sillonnaient le terrain à ses côtés des joueurs aussi émérites que mon propre père ou Sacha Distel, entre autres ? Une équipe prometteuse et dont l'ascension vers la gloire fut brutalement interrompue le jour où Sacha Distel décida de conduire lui-même le bus qui devait ramener tous ces sympathiques joueurs chez eux à l'issue d'un match.

- Enfin, aurai-je besoin de rappeler que si depuis longtemps Michel représente dans ce pays le gendre idéal, cette image positive n'est pas sans revers puisqu'il fut un temps où mes propres parents considéraient d'un œil plus que favorable une éventuelle union de nos deux destinées, et qu'il me fallut à l'époque déployer des trésors d'imagination pour leur faire comprendre que, bien que fan de Cloclo, je ne trouvais rien d'extraordinaire au jouet que Michel exhibait alors à la une de tous les journaux télé (c'était avant sa rencontre avec Dany) ?

Non, croyez-moi, j'aurais du mal à vous surprendre en vous disant des choses que vous ne connaissiez déjà au sujet de Michel.

Je n'en ajouterai qu'une : c'est que, en dehors de mon Philou, c'est le seul animateur de variétés qui pourrait me demander, au débotté, de lui rédiger un petit portrait (en évitant bien sûr de parler d'andouilles, de Claude François, de Sacha Distel ou de Dany Saval) et à qui je répondrais sans même réfléchir : « Quand tu veux et où tu veux. »

portrait de

Jane Fonda

Antoine est secondé par un interprète qui, de temps à autre, résume sa pensée.

Je vous prie de croire, chère Jane (vous permettez que je vous appelle Jane ?), que vous faites plus d'un heureux en nous rendant visite ce soir, et comme à mon tour j'aimerais vous rendre heureuse, ou tout au moins vous faire sourire de ce si joli sourire pour lequel un beau jour mon cœur fondit, fonda, fondut (?), en vous découvrant dans *Barbarella*, où vous n'étiez, vous-même, pas si couverte que ça (coquine que vous fûtes), oui, pour vous rendre heureuse et vous faire sourire à quelques-unes des saillies que j'ai concoctées à votre intention, je me suis adjoint les services d'un interprète qui résumera dans la concision de votre langue maternelle ce que je viendrai d'exprimer dans la subtilité de la mienne.

Alex : *He says he's happy to see you!*

Notez bien que j'aurais pu faire l'effort de m'adresser à vous directement dans votre idiome. C'eût été vous rendre un hommage supplémentaire. Mais je craignais que vous ne m'eussiez point compris. En effet, voilà des années que je ne peux me défaire d'un terrible accent qui handicape la clarté de la communication que je tente d'établir avec des Anglo-Saxons ou des Anglo-Saxonnes, même si j'ai plus de succès avec les Anglo-Saxonnes puisqu'il me suffit (quand la proie justifie le piège que je lui tends — et pas que le piège, d'ailleurs) de jeter cette œillade assassine, ce regard de braise, qui, toutes, les turlupine — arrête tu m'excites — et les jette offertes dans mes bras.

Comme je le disais, je ne fus pas le seul à me réjouir de votre visite. Oh que non ! Car il faut que vous sachiez, pour bien comprendre le moteur de cette émission, que Philippe Gildas — l'équivalent français de Johnny Carson, ou plutôt un croisement réussi de Johnny Carson et de Geminy Cricket —, que Philippe, donc, est très amateur de jolies femmes et que, lorsqu'on lui donna à choisir entre vous et Sammy Davis Junior, il n'hésita pas une fraction de seconde, et, se tamponnant le torse à la manière de Johnny Weissmuller après l'amour, il se mit à bramer à la cantonade : Jane, Jane.

Alex : *He says Philippe Gildas was much more than happy to see you.*

Oui, Jane, Philippe a beau être d'une taille modeste et arborer un air faussement placide, quand le désir s'empare de lui, il se transforme alors en véritable ouragan, comme ceux qui passent et repassent inlassablement sur Stéphanie de Monaco. D'ailleurs, c'est bien simple, depuis deux jours qu'il sait votre visite imminente, son bureau, d'ordinaire très fréquenté, est devenu zone sinistrée, un peu comme la Guadeloupe après le passage d'Ugo. Je dirais même pire. Oui, Jane, Philippe est anormalement heureux de vous avoir enfin ce soir à ses côtés, en chair et en os (vous fournissez la chair, il fournit les os).

Alex : *He says Philippe is as horny as Tarzan, but that's not the only thing he has in common. After sliding down a rope to fast his nickname became Philippe «Great Balls of Fire» Gildas.*

Quant à moi, la joie que j'éprouve à vous rencontrer tient à de plus nobles raisons, et le moment est venu de lever publiquement le voile sur un incroyable secret. Bien que paraissant 35 ans, j'en compte en vérité 60. En effet, véritable défi aux implacables lois du vieillissement, je dois ce faciès épanoui et cette forme extraordinaire à la stricte observance de votre enseignement, Jane, gymnastique, aérobic, diététique, hygiénique, pratiques érotiques, thérapeutiques, zygomatiques, et la trique. J'ai tout essayé. Et ça marche : la preuve. D'ailleurs, jetez un coup d'œil sur cette photo de moi prise en 1980, avant que je n'entreprenne, grâce à vous, Jane, cette cure de Jouvence.

Le résultat n'est-il pas à proprement parler stupéfiant ? D'autant plus que, si moi je ne fais pas mes

60 ans, que dire de Philippe (encore lui) ? Eh oui, à l'inverse, pour avoir refusé de pratiquer quelque sport que ce fût (si l'on excepte le sport en chambre), il paie aujourd'hui les excès d'une vie de débauche et paraît bien plus vieux que son âge réel. Car il n'a que 25 ans, mon Philou.

Alex : *He says he is actually 60, when Great Balls of Fire is only 25. Amazing, isn't it ?*

Mais le corps sans l'esprit, c'est comme le Milan San Remo ou le Bitter San Pellegrino, et je dois avouer, Jane, que l'éducation que je puisai dans votre exemple tint autant du physique — et quel physique, bon sang de bonsoir ! — que du spirituel. Car j'ai vu tous vos films, Jane, même ceux de Vadim et de Godard, et je profite de ce que je vous tiens sous la main pour vous féliciter d'une carrière aussi bien remplie que votre corps est bien fait, et à laquelle je ne ferai qu'un seul reproche : celui de vous avoir tenue éloignée de nous si longtemps.

Alex : *He says, next time, don't wait so long before visiting us.*

portrait des

Gipsy Kings

Antoine est habillé en voyante extralucide.

Tout d'abord, monsieur Gildas (vous permettez que je vous appelle monsieur Gildas ?), je dois vous dire que, bien que voyante, je ne me voyais pas, dans mes rêves les plus fous, passant un jour à la télévision, et qui plus est dans une émission avec les Gipsy Kings, que je connais depuis qu'ils sont grands comme vous. Chico, Nicolas, André, Paco, Diego, Tonino, je les ai tous fait sauter sur mes genoux dans ma roulotte, qui elle-même tressautait sur les cahots des routes entre Arles et Montpellier.

Oui, c'est un grand bonheur pour moi d'être ici ce soir avec vous, et je le dois à M. Antoine de Caunes, dont je ne raterais sous aucun prétexte un portrait, tant ils me font rire et m'aident à me relaxer entre deux séances de voyance. Car les moins clairvoyants d'entre vous ne l'auront peut-être pas encore deviné, mais je suis une vraie voyante et je gagne ma vie en lisant dans les boules, un peu comme Brigitte Lahaie, me direz-vous, quoique d'assez différente manière puisque l'égérie du petit Antoine s'intéresse, elle, à d'autres phénomènes occultes, tels que *Le Zodiaque érotique*, le titre de son dernier ouvrage, aux éditions Ergo Press, disponible dans toutes les librairies pour la modique somme de (laissez-moi vérifier dans ma boule), de 69 francs.

Ah oui, c'est bien ça !

Ainsi, c'est moi qui ai prédit entre autres : la fin du mur de Berlin, le fantastique succès de Django Edwards hier soir à *Nulle part ailleurs*, les 5 ans de Canal Plus, les implants de Dick Rivers, le retour de la revanche de Chantal Goya au Palais des Congrès, le long et douloureux célibat de Pascal Sevran. Comme c'est moi qui avais prédit à Sacha Distel et à Chantal Nobel leur tragique rencontre avec Manitas de Platane. D'autre part, j'ai la chance, en plus de mon don de voyance, de jouir d'une extrême lucidité.

Oui, je suis extralucide, et croyez-moi, sans mauvais jeu de mots, c'est extra, d'être lucide, puisque, grâce à cette faculté, je m'épargne bien du temps perdu. Par exemple, je n'ai plus besoin de regarder les émissions de Patrick Sabatier pour savoir ce que j'y trouverai : pas grand-chose. Et, d'ailleurs, l'avis de recherche ne m'intéresse pas, puisque je sais, dès le départ, qui sera retrouvé. Vous voulez un autre exemple ? Tiens, je peux vous dire que dans les prochains *Grands Échiquiers* vous pourrez voir les Quilapayouns, le Pr Schwartzenberg, Yvri Gitlis et Raymond Devos. Original, non ?

Oh, mais attention, monsieur Chancel, méfiez-

vous, je vois un départ ! Soyez vigilant ! On ne vous
veut pas que du bien ! Enfin, bien que la déontolo-
gie des voyantes interdise la révélation de prédictions
trop effrayantes, j'enfreins toutefois cette règle
lorsqu'il s'agit de la protection d'enfants en bas âge :
ayant aperçu dans mon globe ce que Dorothée leur
concoctait pour Noël, je n'hésite pas à pousser ici
un cri d'alarme — Aaaaaar ! Puisque je parle de Noël,
monsieur Gildas, je vois des cadeaux... plus magni-
fiques les uns que les autres... vous attendant au pied
de votre sapin bonsaï. Je vois un casque flambant
neuf, et une rutilante paire de talonnettes à embouts
caoutchoutés pour vous permettre de danser la lambada la nuit du nouvel an, sans vous prendre des
coups de genou dans le front.

Quant à vous, Chico, et Nicolas, vous connaissant
de longue date, je vous avais déjà prédit, vous vous
en souvenez, votre fabuleux succès, les ventes colos-
sales de vos disques, vos tournées triomphales et,
suprême consécration, le fait que vos gros tubes
seraient bientôt sur toutes les lèvres. Ah ! y en a qui
ont de la chance !

Vous n'avez pas oublié non plus que c'est moi,
Mme Irma, qui vous avais conseillé d'aller coller une
oreille à la porte de Léon Zitrone quand vous cher-
chiez encore l'inspiration. Souvenez-vous, c'est en
entendant Mme Zitrone répéter inlassablement à son
mari, sans se décourager, les paroles suivantes :
« Bande mon Léon, bande mon Léon », oui, c'est en
entendant cette injonction à son conjoint que vous
eûtes l'idée de votre premier succès.

Quant à votre avenir, ma boule est formelle, il est radieux. Vous resterez longtemps encore amis avec Brigitte Bardot, même si je vous conseille, la prochaine fois que vous irez chanter chez elle, d'éviter de faire les ânes pour avoir du son (je sens ma boule qui frémit, rien que d'y songer).

Mais, sinon, la roulotte de votre fortune n'est pas près de s'arrêter sur les chemins de la postérité, et je peux vous dire que dans dix ans vous serez toujours Gipsy, et toujours Kings, autrement dit, je traduis pour Philippe qui n'est pas en très bons termes avec l'anglais : les Rois gitans.

Voilà, ça fera 500 francs.

portrait de

Sylvie Guillem

Antoine est habillé en danseur étoile.

Je vois bien à la perplexité morose de votre regard, Philippe, que vous vous demandez quel but je vise encore ce soir en me travestissant de la sorte. S'agit-il, sous prétexte que nous recevons la plus ravissante des étoiles de la danse, de faire le malin en esquissant quelques entrechats malhabiles dans le seul but de soutirer une poignée de sourires gras à une grande partie de notre public insensible aux raffinements de la danse avec un grand D et pour qui, souvent, ce genre d'exercice se résume à aller se secouer la cellulite le samedi soir sur les pistes de night-club sur des rythmes de musiques de jeune, tout en prenant des poses avantageuses dans le seul but d'impressionner les Josyane locales ? Voyez-vous, moi le premier, j'ai sacrifié à ce genre de rituel. Mais peut-être me suis-je déguisé dans un but plus sournois, comme par exemple pour prouver, par le seul port de ce collant moule-burnes, que chez moi, comme le prétend une rumeur flatteuse, la réalité dépasse la fiction ?

Eh bien non, je ne m'abaisserai pas à me lever, pour simplement satisfaire cette malsaine curiosité et raviver par là même la légitime jalousie de Philou.

Pourquoi donc à la fin, me demanderez-vous, me suis-je ainsi vêtu, revêtant les atours de ces danseurs étoiles qui défient allégrement les lois de la pesanteur et de l'équilibre, sous le regard envieux de cadres bancaires lestés du pneu pesant de leur responsabilité et qui, eux aussi, caressèrent un jour le rêve de se transformer en homme-oiseau, un peu comme le fit, quoique pour d'autres raisons, Francis Huster dans *Le Faucon (un vrai film)*?

Hein, pourquoi? Pourquoi? Pourquoi?

Eh bien, dussé-je en rougir, je vais vous l'avouer : simplement parce que c'est dans cet accoutrement que j'ai tenté d'approcher Sylvie (vous permettez que je vous appelle Sylvie?), dont, comme des milliers d'autres aficionados, la grâce des gestes, le port de reine, l'élégance des mouvements, ajoutés à une interprétation passionnée, m'ont depuis longtemps rendu baba. (Et vous remarquerez pour une fois, Philou, que je passe sous silence l'aérodynamisme d'un fuselage à faire damner saint Tutu, le patron des danseurs, et que je me retiens, contrairement à mon habitude, et à mon plus grand regret, de m'étendre sur ce châssis de déesse.)

Oui, longtemps j'ai voulu approcher Sylvie, pour lui exprimer mon admiration.

Mais les étoiles de la danse sont parfois plus intouchables encore que celles de la Voie lactée, et c'est pourquoi, alors qu'elle travaillait encore à l'Opéra

de Paris, j'eus recours, à son insu, à quelques gros-
siers subterfuges, aidé, je dois l'avouer, Sylvie, par
Philou, comme le prouve cette photo prise lors de
notre premier spectacle, intitulé *Casse-moi les noi-
settes, Giselle*, sur un livret de Patrick Bruel, et que
nous donnâmes devant un public médusé à la MJC
Piéral de Saint-Gildas-des-Bois.

Hélas! nous étions bien naïfs, et il ne suffisait pas,
comme nous l'apprîmes à nos dépens, d'être vêtus
en danseurs pour pouvoir prétendre pénétrer à
l'Opéra.

Mais je ne m'avouai pas vaincu pour autant et j'allai
jusqu'à imaginer les ruses les plus audacieuses pour
vous approcher, Sylvie, au point de me fondre dans
le décor. Tiens, par exemple, vous souvenez-vous de
cette salle de répétitions sous les toits de l'Opéra? Eh
bien, cette barre, à laquelle vous vous agrippâtes
durant des mois, plusieurs heures par jour, c'était moi.
Enfin, c'était la mienne. Hélas! vous n'étiez pas seule,
puisque l'empoignèrent aussi d'autres individus auxquels elle n'était pas destinée : Jean-Lou, Renato,
Jean-Bruno, Gaston, et que c'est épuisé, harassé, que
je dus renoncer à ce camouflage précaire.

Enfin, ultime tentative, dont l'idée me fut souf-
flée par une personne prétendument bien informée,
je décidai de me faire engager au Palais des Congrès,
où vous étiez censée vous produire en compagnie du
ballet Kirov.

Hélas! je fis une légère erreur de date et, sans le
vouloir, c'est aux côtés de Chantal Goya que je me
retrouvai sur la scène de ce bunker pompidolien, pour

un spectacle haut en couleur, où, soir après soir, devant des salles pleines d'enfants martyrs, j'eus à me dandiner en annonçant *Pandi Panda*, entouré de nains priapiques sous-payés, sur une chorégraphie écrite par le maître de ballet des services d'hygiène de la Ville de Paris.

J'en frémis encore.

Et tous ces efforts pourquoi ? Hein ? Pourquoi, pourquoi, pourquoi ? Je vous le demande, Sylvie, en même temps que je vous y réponds : pour rien !

Puisque ce soir, c'est vous qui nous rendez visite et que, enfin, se réalise mon rêve : vous parler comme je viens de le faire, ver de terre amoureux d'une étoile, comme disait Victor Hugo qui savait parler aux femmes et aux danseurs.

portrait de

Grace Jones

Je suis doublement ravi, ma chère Grace (vous permettez que je vous appelle Grace ?), de pouvoir enfin vous approcher de si près. De si près que, s'il ne tenait qu'à moi, je pourrais presque vous toucher si je ne craignais de me ramasser une rafale de baffes du type de celles que vous distribuez à James Bond, dans le bien-nommé *Dangereusement vôtre*. Oui, je suis ravi puisque cela fait longtemps que le chasseur maladroit que je suis traque sans succès la panthère noire que vous êtes : en fait, depuis votre premier concert au Palace, où j'eus un mal fou à m'extraire de la foule compacte exclusivement homosexuelle de vos fans de la première heure. Je me souviens qu'à l'époque j'avais inventé un astucieux stratagème pour franchir le barrage des coulisses, en affirmant au cerbère qui en surveillait l'entrée que j'étais le beau-fils du neveu de la tante du cousin du beau-frère du meilleur ami de votre producteur. Ça n'avait pas marché.

Quelques années plus tard, je n'avais pas hésité, lorsque vous tournâtes la pub pour la Citroën, à me dissimuler dans le coffre du véhicule qui servait aux prises de vues. Hélas ! notre premier contact ne fut que très indirect, puisque non seulement vous n'ouvrîtes jamais le maudit coffre, mais qu'en plus vous régurgitâtes assez violemment la voiture, ce qui me valut une fracture de la clavicule, dont, rassurez-vous, je ne vous tiens pas pour responsable. Mais c'en était trop peu pour venir à bout de ma ténacité : apprenant que vous ouvriez un restaurant à New York, je me précipitai là-bas dans le premier avion, sûr et certain de pouvoir enfin vous approcher, fût-ce dans la cuisine.

Hélas ! encore hélas ! ce soir-là, la cohue était telle à La Vie en rose (La Vie en rose, Philou, c'était le nom du restaurant de Grace Jones à New York) que je dus me contenter de dîner en tête à tête avec moi-même — ce qui n'est déjà pas si mal, si j'en crois l'abondant courrier féminin qui déferle tous les matins dans mon bureau —, un dîner qui faillit du reste m'être fatal, puisque, perdu dans des pensées où l'amertume le disputait au désappointement, je mangeai, certes, mais machinalement et sans m'en rendre vraiment compte sur l'instant, l'équivalent d'un saladier complet de chili con carne incroyablement épicé, dont la digestion désordonnée me cloua au lit pendant une bonne semaine dans une chambre d'hôtel new-yorkaise que je partageais avec une colonie de cafards. Seule la visite d'un ami me réconforta, celle d'Enrico Macias, qui en humant l'atmosphère de la chambre eut l'idée originale du parfum qu'il allait par la suite populariser, le *Malouf*. Figurez-vous qu'il s'en fallut de peu qu'il ne le baptisât *La Vie en rose*.

Apprenant ensuite que vous collectionniez les chaussures, je n'hésitai pas à me faire embaucher, c'est le cas de le dire, par l'un des plus illustres chausseurs de la place de Paris chez qui vous aviez, prétendait-on, vos habitudes. A cause de vous, Grace, bien que là encore, comme vous ne me connaissiez pas, vous n'y fûtes pour rien, je passai les trois mois les plus sombres de mon existence, à genoux huit heures par jour, à m'extasier hypocritement sur l'élégance du cou-de-pied de mes clients ou sur la finesse de leurs attaches, tout en feignant d'ignorer les remugles tenaces qui s'exhalaient de leurs semelles négligées.

Là, pour en avoir vu, j'en ai vu, c'est moi qui vous le dis, en même temps que je perdais quelques illusions sur l'hygiène de quelques présentateurs télé qui fréquentaient la boutique et qui feraient bien de soigner autant leurs extrémités que leur brushing ou leur sourire crispé. Non, je ne donnerai pas de noms, ce n'est pas mon genre.

Toujours est-il que vous ne me visitâtes point, Grace, et que c'est donc en vain que je m'attrapai un lumbago qui s'avéra être un véritable handicap, quelques mois plus tard, pour danser la lambada. Figurez-vous qu'ensuite j'avais même songé, pour vous impressionner, à me faire faire un de ces collages photographiques à la Jean-Paul Goude qui vous rendirent célèbre et où vous apparaissiez comme découpée en mille morceaux, plus belle et plus élancée encore que vous ne l'êtes au naturel.

Eh bien, hormis le fait que je m'entaillai la main

jusqu'à l'os en manipulant une paire de ciseaux un peu trop aiguisés, l'envie même m'en passa lorsque je vis que Philippe, à qui vous faites autant d'effet qu'à moi, Grace, bien qu'il l'avouera de moins bonne — grâce —, que Philippe, donc, s'était lui aussi essayé à ce périlleux exercice, comme le prouve cette photo que je viens de retrouver et où, parodiant votre style, on le voit tenter de grappiller les quelque quarante-deux centimètres qui vous séparent l'un de l'autre. Mais tous ces tourments prennent fin aujourd'hui, Grace, puisque je vous ai enfin face à moi, et si vous m'y autorisez je vous offrirai, pour vous signifier mon bonheur, ce bouquet de roses dont vous chantiez la couleur et dont je n'ai, jusqu'à aujourd'hui, connu que les épines.

portrait de

Rémy Julienne

C'est un bien beau métier que le vôtre, mon cher Rémy (vous permettez que je vous appelle Rémy ?), pour lequel j'avoue avoir eu quelques penchants lorsque j'étais plus jeune — à tel point que, moi aussi, je rêvais de devenir cascadeur. (Notons au passage que je n'étais pas le seul puisque même Philou avait, à ses débuts, pour ambition suprême de devenir Casque d'or.) Hélas ! ma mère s'opposa farouchement à ma vocation première et me fit jurer que jamais je ne tenterais de sauter en marche d'une voiture lancée à toute allure (à moins que Sacha Distel ne soit au volant), que jamais je n'accepterais l'invitation d'un Michel Droit à une partie de chasse, que jamais je ne prendrais le risque de dévisser un flacon de *Malouf*, le parfum d'Enrico Machiasse, sans le concours des services de sécurité de la Compagnie du Gaz, que jamais, enfin, je n'ouvrirais une armoire normande sans vérifier au préalable qu'elle est bien calée avec le dernier Sulitzer. Toutefois, si je renonçais à pratiquer le métier dont vous êtes le fleuron, mon cher Rémy (et cela en dépit des dispositions physiques exceptionnelles qui aujourd'hui encore me permettent de me livrer à de véritables acrobaties, comme, par exemple, me précipiter, tel un cabri hétérosexuel fuyant l'arbalète d'Henry Chapier, du haut de ce bureau : regardez !), oui, même si je renonçais à devenir cascadeur pour de bon, le hasard voulut que j'appartinsse, bien que de manière un peu détournée, à votre confrérie, en devenant quand même un cascadeur.

Un cascadeur de la pignole, bien sûr, mais un cascadeur quand même. Oh, certes, à première vue, c'est considérablement moins risqué d'être un cascadeur de la pignole qu'un cascadeur tout court. Ainsi, tandis que, vous, vous réalisez des exploits qui ramènent les galipettes extrêmes d'*Ushuaïa* au rang des épreuves préliminaires du permis de conduire La Roue d'or, destinées aux cartes Vermeil désireuses de retâter le bitume, exploits du genre : vous laisser tomber du haut du pont du Gard, accroché seulement par un élastique à votre testicule gauche, tout en bourrant négligemment une pipe, pour retomber sur la cabine conductrice d'un semi-remorque sans freins, piloté les yeux bandés par Johnny, à la seconde même où il s'écrie en s'apercevant que l'allume-cigares est hors d'usage : « Oh putain la vache ! », oui, pendant ce temps-là, je reste tranquillement assis derrière mon bureau.

Me laisserez-vous citer un autre de vos exploits, Rémy, sans que votre modestie ait à en rougir ? Merci.

Eh bien, souvenons-nous du courage extraordinaire qu'il vous fallut déployer à l'occasion du tournage d'un documentaire animalier, en allant passer une nuit complète dans le jardin privatif de Brigitte Bardot, déguisé en âne priapique. N'en portez-vous pas aujourd'hui encore les cuisants stigmates ?

Tandis que moi, comme je le disais, c'est derrière mon bureau, penché sur une feuille de papier, que j'exécute mes plus périlleuses figures, mes acrobaties sémantiques et mes jongleries rhétoriques. A première vue, rien de bien dangereux me direz-vous, Rémy, mais avez-vous songé aux terribles défis que, soir après soir, j'ai lancés sur ce plateau ? Car de même que vous contrôlez au millimètre les véhicules que vous démolissez avec un acharnement que doivent vous envier bien des malheureux, condamnés au touche-touche sur un périphérique saturé, de même il me faut, moi, tenir fermement en main le manche à balai de mes plaisanteries de haut vol, en m'efforçant toujours de comprendre jusqu'où je peux ne pas aller trop loin.

Car, croyez-moi, ce n'est pas sans risque que je m'aventure à exécuter des tonneaux en compagnie de Demis Roussos, que je me propose de fouiller dans la boîte à glands de Line Renaud ou, plus périlleux encore, que je me livre à un tête-à-queue intégral aux côtés de Brigitte Lahaie.

Oui, Rémy, comme vous je passe ma vie à frôler le danger, et chaque soir je me demande, comme vous vous le demandez vous-même, si je ressortirai sain et sauf de ma prestation. Ce soir encore cela semble être le cas, et c'est avec le soulagement que vous devez éprouver en vous extrayant de la carcasse fumante d'une voiture transformée par vos soins en une compression de César — quoique en plus abordable — que je peux m'exclamer : « Pas mal pour un mercredi ! »

portrait de

Martin Lamotte

Mon cher Martin (vous permettez que je vous appelle Martin ?), mon cher Martin, chaque fois que je vous vois, je me fais cette même réflexion : ce type-là a vraiment une sacrée tête de salaud. Et croyez bien que je ne dis pas cela dans le but de vous choquer ou de vous provoquer, mais simplement pour exprimer tout haut ce que tout le monde pense tout bas. Car enfin, regardez-vous, Martin, observez dans un miroir ce regard fuyant et chafouin, ce nez incertain mille fois défoncé par des coups de boule amplement mérités, cette bouche torve de délateur zélé, ce menton menteur, et les mâchoires lâches toujours occupées à ruminer une vieille rancune, bref, ce visage fait pour la dissimulation, le mensonge et la trahison, en un mot comme en mille, ce visage de faux jeton intégral — oui, observez-le, Martin, et vous vous effraierez vous-même. Car c'est bien une tête de beau salaud que vous avez, Martin, pas celle d'un Judas d'opérette ou d'un félon de mélodrame : non, le beau salaud dans toute sa splendeur. D'ailleurs, il suffit de survoler votre carrière au cinéma ou au théâtre pour constater que les metteurs en scène surent toujours estimer vos talents au premier coup d'œil, en vous confiant des rôles de salauds, précisément, à l'exception de Lelouch, et cela pour des raisons contenues dans son seul nom. Revenons-y un instant.

On vous vit tour à tour en opiniâtre inspecteur des impôts, en violeur, en coiffeur homosexuel (excusez le pléonasme), en beau-frère raciste, en proxénète, en policier obstiné, en agent du KGB, en voisin immonde et même en Louis XI. Sans conteste le plus fumier de tous les Capétiens, que même les monarchistes les plus convaincus considèrent avec un effroi mêlé de dégoût. Oui, même Louis XI, vous l'interprétâtes, Martin, et, là où d'autres comédiens eussent peut-être pu humaniser un tel monstre, vous accentuâtes, vous, par votre simple physionomie, l'abjection que son seul nom inspire. Et s'il ne s'agissait que des films ou que des pièces dans lesquels vous vous produisîtes ! Mais que dire de toutes les propositions que vous dûtes refuser, ne pouvant, faute de temps, incarner tous les salauds de la terre ! Car on vous en proposa, Martin, des rôles. Du docteur Petiot à Gilbert Bécaud, en passant par Claude Autant-Lara jeune, l'évêque Cauchon, Tarass Boulba, Paul Touvier, Dick Rivers, Klaus Barbie, Karl Lagerfeld, et même Francis Bouygues, on vous les proposa tous, Martin, ces personnages que seul un acteur aussi protéiforme que vous aurait pu incarner.

Euh... on me pardonnera une parenthèse à l'intention de Bernard Montiel qui a la gentillesse, je le sais, de nous regarder ce soir : protéiforme, c'est l'adjec-

tif qui indique que le visage de Martin est suscepti-
ble de prendre diverses formes, Bernard. Voilà. Je
referme cette parenthèse didactique (didactique, je
t'expliquerai la semaine prochaine).

Protéiforme, donc, c'est du reste le mot juste, puisque c'est en le découvrant vous-même un jour dans
le dictionnaire que vous vint l'idée de changer de nom
pour vous lancer dans le monde du spectacle. Je
m'explique : c'est en songeant à la malléabilité d'une
motte de beurre, qui dans des mains habiles peut
prendre à peu près toutes les formes et servir à de
multiples usages (que l'on songe aussi bien au *Dernier Tango à Paris* ou à votre film *L'Œil au beurre
noir*, un remake soft du classique de Brigitte Lahaie,
Ma raie au beurre noir), oui, c'est en faisant cette
analogie, Martin, que vous adoptâtes pour pseu-
donyme ce qui désigne habituellement cette masse
compacte de matière grasse alimentaire fabriquée à
partir de la crème du lait. De ce nouveau nom vous
tirâtes deux avantages : celui de jouer cartes sur table
en annonçant la couleur et celui d'échapper au poids
d'un patronyme encombrant puisque, pour l'état
civil, vous êtes en réalité Martin La Moule, né de Raymond La Moule et de madame, née La Touffe. Une
hérédité chargée, Martin, convenez-en.

Mais, contrairement aux apparences, vous ne choisîtes pas la voie de la facilité en vous rebaptisant
Lamotte, surtout dans une époque obsédée par le cho-
lestérol et les excès de graisse, et où personne n'a plus
envie de ressembler à Paul-Loup Sulitzer, si ce n'est
Paul-Loup Sulitzer lui-même. Oui, en choisissant ce

nom aux consonances laitières, vous prêtiez automatiquement le flanc à d'éventuels détracteurs — des tracteurs que, paradoxalement, on croise surtout en milieu agricole, comme les produits laitiers.

Mais c'était compter, Martin, sans votre talent de comédien, qui toujours depuis vos débuts, et que ce fût dans des rôles de vrais faux culs, de faux faux culs, voire même de faucons — un vrai film —, nous laissa tous, littéralement, sur le cul précisément.

Et, pour cela, il vous sera beaucoup pardonné.

portrait de

Gérard Lanvin

Figurez-vous, Gérard (vous permettez que je vous appelle Gérard ?), qu'il y a deux jours nous recevions Serge Blanco, le rugbyman basque, et qu'à cette occasion je me suis réjoui de pouvoir humer grâce à lui quelques effluves de ce Sud-Ouest que j'aime tant. Avec vous, aujourd'hui, notre périple olfactif continue puisque ce sont les Landes, où vous vous êtes installé, qui sont à l'honneur et dont vous faites souffler les vents odoriférants (périple olfactif qui s'activera, je le signale au passage, demain soir, avec les fauves odeurs s'exhalant du paillasson pectoral grec de Demis Roussos, dont nous célébrerons avec faste le retour, comme nous célébrons, ce soir, le vôtre, Gérard).

Et je laisserai à Philippe le soin de parler avec vous des planches sur lesquelles vous montez tous les soirs au théâtre de La Michodière (et bien que d'après certaines ouvreuses vous ne vous contentiez pas que des planches) pour m'intéresser plutôt à celles que vous débitez au fond des bois dans les Landes profondes pour consolider votre hutte.

Eh oui, car comme Thierry vous vivez en ermite, Gérard, et cette hutte vous l'habitez tranquille (et pas que la hutte, d'ailleurs, si je dois en croire les mêmes ouvreuses).

Si je raconte tout ça, Gérard, c'est parce qu'en fait votre choix géographique ne s'est pas fait au hasard : plusieurs raisons vous ont amené dans la région des Landes, au milieu de ce peuple fier et aux coutumes étranges. En effet, entouré d'arbres, le Landais passe sa vie à scier tandis que la Landaise rentre le bois, et cela jusqu'à deux fois par jour, ce qui n'est pas fait pour vous effrayer, toujours d'après vos amies ouvreuses. Car vous adorez scier, Gérard, et je me permets d'ailleurs de vous faire remarquer que si cette occupation bien naturelle va de soi au milieu des bois, à l'abri des regards, il n'en va pas de même sur une scène de théâtre. Ainsi, vous avez récemment scandalisé les mêmes ouvreuses, à La Michodière, lorsqu'elles vous surprirent, à l'entracte, en train de scier dans le trou du souffleur.

Mais repartons pour les Landes.

Ce n'est pas seulement la vie au grand air pur — enfin, pur ! — qui vous attira là-bas, Gérard — les Landes ont d'autres charmes, comme ceux de la gastronomie en général et du fameux cassoulet en particulier, qui entretient une évidente relation de cause à effet avec l'activité forestière dont je parlais il y a quelques instants. Un cassoulet qui fut pour beaucoup dans votre métamorphose physique, puisque, si vous étiez chétif et flageolant lorsque vous quittâ-

tes Paris, c'est pétant le feu que vous revîntes du pays
du flageolet.

Et riche de surcroît de connaissances nouvelles, puisque tout le monde s'accorde à voir en vous aujour-
d'hui un maître de ce ragoût languedocien que vous
sûtes faire voyager jusqu'à cette région des Landes,
qui jusqu'alors n'embaumait que la résine de conifè-
res. A ce propos, je vous remercie au nom de toute
l'équipe d'avoir eu la gentillesse de nous en mitonner
quelques bocaux. Philippe s'est régalé à midi.

Enfin, après avoir salué le scieur doublé d'un gas-
tronome, je m'en voudrais de passer sous silence — si
je puis dire — le défenseur farouche de l'environne-
ment que vous êtes devenu. En effet, à l'instar de
Sting, parti en croisade en compagnie de son ami le
chef indien Raoni — vous savez, celui qui a toujours
le compact de Sting dans la bouche —, vous n'avez
pas hésité, l'été dernier, à organiser le grand mouvement d'entraide qui vient en secours à tous ceux et
toutes celles qui rêvent, citadins frustrés, de scier et
de rentrer du bois à loisir, comme vous le faites. Oui,
le promoteur anonyme et discret de la célèbre opération Pin-Aid, celle-là même qui a redonné espoir
aux cas les plus extrêmes, de Gloria Lasso au président Poher, en passant par le président Pinay (qui
ne pouvait plus), sans oublier Pascal Sevran qui
essaya de se glisser furtivement dans les rangs des plus
défavorisés.

Oui, Gérard, au nom de la nature, de la cuisine
et de l'amour, sans parler de la comédie que vous ser-
vez tous les soirs, je vous dis : « Merci. »

portrait de

Carole Laure

On ne dira jamais assez à quel point *Nulle part ailleurs* est une terre de contrastes, même si la musique nous sert souvent d'argument. Je m'explique : hier une Noire, aujourd'hui une Blanche. Hier Grace Jones et son capiteux parfum d'îles exotiques. Aujourd'hui Carole (vous permettez que je vous appelle Carole ?), créature diaphane, venue du Grand Nord avec les premiers frimas, et qui, bien que très frileuse des jambes, n'a pas hésité à venir en jupe sur notre plateau, laissant au vestiaire son célébrissime Levis fourré. Certains ne voudront voir ici qu'un mauvais jeu de mots, Carole, une pignolade supplémentaire s'ajoutant à la longue liste des douteux calembours subis par votre couple depuis que vous vous êtes fourrée dans les bras de Lewis, ou plutôt (non — je ne peux pas. Bon : depuis que vous vous êtes fait fourrer par Lewis). Calembours du style : « Lewis et Carole au pays des Merveilles », ou bien contrepèteries poussives du genre : « Il court, il court, le Furey », devenant : « Il fourre, il fourre, le curé. »

Mais si les jeux de mots avec vos deux noms

conjugués viennent aisément aux lèvres, il faut bien
reconnaître qu'il y a une raison à cela puisque Lewis
et vous-même êtes toujours fourrés ensemble. En
effet, au fil des ans, vous êtes devenus (tout en
sachant conserver votre personnalité propre) aussi
indissociables dans l'esprit du public que Réaumur
et Sébastopol, Véronique Sanson et Dalida, Jacob
et Delafon ou Igor et Grischka. Bien que, une fois
de plus, il soit extrêmement difficile de discerner à
l'œil nu le détail, minuscule m'a-t-on dit, qui les distingue.

Oui, Carole, oui, Lewis, vous êtes déjà rentrés dans
la légende des couples célèbres à la porte de laquelle
tant d'autres frappèrent en vain : Peter et Sloane,
David et Jonathan, Sheila et Ringo, Sacha et Chantal, Stéphanie et Anthony. Non, Stéphanie et David.
Non, Stéphanie et Paul. Non, Stéphanie et Antoine.
Non, bon, enfin, Stéphanie et le TGV.

Mais même s'il est difficile de parler de vous sans
évoquer Lewis, c'est pourtant ce à quoi je vais
m'employer. Ce que j'aime par-dessus tout en vous,
Carole, c'est votre côté touche-à-tout (ah oui, touche-
moi tout), qui vous permet de papillonner gracieusement du théâtre à l'écran, de l'écran au music-hall,
du music-hall à la danse, de la danse au cinéma, du
cinéma au chant, du chant à la cuisine, de la cuisine
à la salle à manger et de la salle à manger à *Nulle
part ailleurs*, puisque, pour en être la plus bohème
des artistes, vous n'en êtes pas moins la plus méritante des mères dans votre vie privée, si j'en crois
votre biographie intitulée précisément *La plus bohè-*

mes des artistes, la plus méritante des mères, à paraî-
tre prochainement aux éditions Ergo Press, celles-là
mêmes qui viennent de publier *Le Zodiaque érotique* de Brigitte Lahaie, qui n'est peut-être pas cana-
dienne, mais qui sait comment se faire fourrer le
Levis.

Quand je dis que vous papillonnez, le terme me
semble bien choisi, puisque vos projets sont tellement
abondants et divers que le temps vous manque pour
tous les réaliser. Ainsi, si vous venez aujourd'hui nous
voir, un album de country music sous le bras,
n'oublions pas que la dernière fois que vous vîntes
à Canal, vous nous annonciez deux entreprises miro-
bolantes.

Tout d'abord un projet de film prémonitoire racontant l'histoire d'un savant de l'Est qui profite de
la construction d'un barrage à Berlin pour passer à
l'Ouest, et surtout celui d'un spectacle racontant, lui,
l'histoire d'une femme qui se prend pour un phoque.
Un thème librement inspiré des mémoires de Pascal
Sevran — bien que dans son cas ce soit l'inverse. Pascal Sevran, que votre dernier album *Western Shadows*
a du reste plongé dans le plus vif désespoir pour la
double raison qu'il est presque intégralement chanté
en anglais — qui n'est pas une vraie langue, comme
chacun sait — et qu'il se veut un hommage à la
country music, autrement dit, une tradition 100 %
américaine. Et pourtant, quelle n'a pas été l'influence
de la country music sur les artistes français de l'immédiat après-guerre !

Prenez Gloria Lasso, qui fit de l'outil de travail

des garçons vachers son nom de scène : Lasso, n'hésitant pas de surcroît à dégainer littéralement, pour le
plus grand péril des premiers rangs. Et Dick Rivers,
si imprégné de l'âme du Grand Ouest qu'il en arrive
à marcher arqué comme s'il avait grandi à cheval sur
un tonneau, tout en mettant fébrilement en garde un
hypothétique adversaire, comme dans *Règlement de
comptes à OK Corral*.

Mais la country ne se résume heureusement pas à
ces caricatures, ma chère Carole. C'est un amateur
du genre qui l'affirme ici, et pour vous remercier de
le faire découvrir, j'espère, au public français, je
pousserai en votre honneur le célèbre cri des cow-boys
talonnant leur pur-sang le soir, tandis que le soleil
se retire doucement des canyons majestueux : Yiha !

portrait de

Amanda Lear

Antoine est vêtu d'un pyjama beaucoup trop petit pour lui.

Ma chère Amanda (vous permettez que je vous appelle Amanda ?), il y a bien longtemps que je rêvais de me retrouver à vos côtés dans l'intimité d'une tenue d'intérieur, comme celle que vous faites revêtir à vos hôtes pour les interviewer dans l'émission que vous animez à la télévision italienne et qui s'intitule carrément *Dans mon lit*.

Hélas ! l'éloignement et un emploi du temps trop chargé ne m'ont pas encore permis de me rendre à Rome afin de me soumettre à ce tête-à-tête horizontal qui ravale *Le Divan* d'Henry Chapier au rang de prie-Dieu de confessionnal pour premier communiant trisomique. Et, à ce sujet, je suggère qu'à votre tour, Amanda, vous receviez dans votre lit le dernier invité d'Henry Chapier, à savoir Jean-Marie Le Pen, à qui le pyjama rayé devrait aller comme un gant. Donc, Amanda, n'ayant pas pu me glisser dans votre alcôve romaine, j'ai profité de votre venue sous le balda-

quin marbré de *Nulle part ailleurs* pour vous faire
enfiler... (en tout bien tout honneur) ce pyjama.
Ayant quant à moi l'habitude de dormir dans le plus
simple appareil, j'ai dû emprunter le sien à Philippe
(je parle de son pyjama) ; et cela explique que je me
sente ce soir les coudes à l'étroit dans cette tenue qui
comprime fâcheusement mon plus simple appareil
(enfin, pas si simple que ça d'ailleurs).

Renversant les rôles puisque vous êtes notre invitée, c'est donc moi ce soir qui entrerai dans le vif du
sujet, en ayant pris soin au préalable de bien écarter
toutes les insinuations qui courent à votre sujet,
comme celle qui voudrait que vous ayez été l'amante
de Dali.

Foutaises et coquecigrues que je balaie d'un revers
de manche... (vous me direz qu'avec cette veste taille
12 ans je ne risque pas de balayer grand-chose). Oui,
balivernes, car pour moi vous êtes tout simplement
La Manda Lear, comme on dit en Italie des stars
incontestées en les gratifiant de l'article défini. Car
star, vous l'êtes, notamment à la télé, comme je l'évoquais à l'instant, et c'est justement à la femme de télévision que je voudrais m'adresser maintenant.

Contraint comme je le suis de cohabiter quotidiennement à l'antenne avec un collègue masculin de taille
modeste, casqué de surcroît et ne parlant en fait de
langue étrangère que l'idiome incertain de sa très
basse Bretagne, vous comprendrez que je rêve d'avoir
pour partenaire télévisuelle une vraie femme, avec de
vrais cheveux, de vrais poils, qui soit grande, drôle
et polyglotte. Mais vous comprendrez aussi qu'il me

soit impossible de trouver l'âme sœur parmi mes
consœurs françaises.

Certes, Dorothée est polyglotte, mais quel intérêt,
me direz-vous, à parler mongol à des enfants français ? Bien entendu, il n'y a pas qu'elle, mais, dès que
j'envisage d'autres possibilités, on m'objecte aussitôt qu'Évelyne Leclerc pourrait être ma mère et
Simone Garnier mon arrière-grand-mère. Quant à
Danièle Gilbert, bien qu'elle s'acharne depuis dix ans
à se persuader qu'elle reviendra, ses dernières pres-
tations télévisuelles remontent à ses apparitions sur
les écrans de contrôle vidéo de la maison d'arrêt de
Nice. Et je ne vois pas là de quoi m'encourager.

Ah, ce ne serait pas la même chose si je pouvais
m'adjoindre la femme grande, drôle et polyglotte
avec de vrais cheveux que vous êtes, Amanda,
d'autant que vos talents de peintre, puisque vous
excellez à tremper le pinceau, me seraient d'une aide
précieuse pour le portrait quotidien que je brosse de
mes invités, et pour lequel vous posez en ce moment !

Ensemble, nous pourrions même conquérir le PAF
et coprésenter *Tornate maneggio*, *Il giorno del
signore*, *Sette sul sette*, *Il grando echiquiero* — ah
non, celle-là est passée à la trappe — ou *La roua della
fortuna*. Nous pourrions aussi secouer les nouilles de
conserve dans une émission gastronomique.

Mais ce n'est qu'un rêve, et je n'aurai pu le cares-
ser que le temps d'endosser ce pyjama qu'il va me
falloir rendre bientôt à son propriétaire...

Heureusement, l'idée que d'ici une semaine je serai
en Italie pour prendre quelques jours de vacances et

bénéficier du repos du guerrier télévisuel que je suis suffit à me consoler. Car, à défaut d'être avec vous dans le poste, vous pourrez compter sur moi pour venir grossir le rang, et pas que le rang, d'ailleurs, de vos fidèles transalpins, et transalpines, l'important étant, n'est-ce pas, qu'ils vous soient fidèles.

Arrivederci, Amanda.

portrait de

Claude Lelouch

Quand mon Philou m'annonça que nous nous apprêtions à vous recevoir à nouveau, Claude (vous permettez toujours que je vous appelle Claude ?), je me dis en moi-même : « Antoine, mon garçon, mon joli garçon, c'est un véritable challenge qui s'offre à toi, devant un tel hôte de marque, il va te falloir redoubler d'imagination, et même si, actuellement, tu montres quelques signes de fatigue, suite à la harassante campagne de publicité pour l'ouvrage que tu as cosigné avec ton camarade Albert Algoud : *Vous permettez que je vous appelle Raymond ?*, collection « Point-Virgule » aux Éditions du Seuil, 30 francs prix conseillé, il va falloir te montrer à la hauteur et ne pas resservir à Claude ces vieilles plaisanteries éculées avec lesquelles tu l'avais accueilli la dernière fois, comme par exemple celle-ci, à propos du seul point commun entre Claude et Jean-Luc Godard, c'est-à-dire la Nouvelle Vague. Souviens-toi : le public déchaîné t'avait fait une véritable ovation après que tu eus déclamé d'un trait ce désopilant paragraphe :

« La Nouvelle Vague, c'est peut-être le seul point commun entre les deux cinéastes, puisque, contrairement à Jean-Luc, Claude n'aime pas qu'on raconte ses films, alors que Jean-Luc, lui, aimerait qu'on raconte les siens, mais, comme ils ne racontent rien, les films de Jean-Luc, c'est très difficile à raconter, alors que les films de Claude, qui racontent quelque chose, c'est plus facile à raconter, et c'est pour ça que Claude n'aime pas qu'on les raconte, ses films, parce que, si on les raconte, on n'a plus envie d'aller les voir, alors que les films de Jean-Luc, même si on les raconte, on n'a pas envie de les voir, et, si on les voit, on n'a pas envie de les raconter. Si vous voyez ce que je veux dire. Bon ! »

Non, aujourd'hui, je trouverai du neuf à raconter sur Claude, ou plutôt, m'étant déjà intéressé à l'homme, c'est sur l'œuvre que je me pencherai aujourd'hui, plus précisément sur l'objet du dernier volet de l'œuvre de Claude, c'est-à-dire la lune — un thème obsessionnel chez certains de mes confrères (au hasard, Pascal Sevran), la différence étant toutefois que, tandis que la lune tourne en orbite autour de la terre, ils ont plutôt tendance, eux, à graviter avec l'orbite autour de la lune.

Oui, Claude a pris cette fois-ci pour thème notre satellite naturel, ou plutôt la mauvaise influence qu'il exerce sur notre comportement et sur la pousse des poils sous les bras de Linda de Suza. Un sujet qui m'intéresse, puisque, si j'ai souvent l'air dans la lune (toutefois moins que quand Philou reçoit Sylvie Marceau ou Roger Vandamme), c'est parce que la lune est elle-même dans l'air. N'est-il pas question partout de Cyrano qui conversait avec elle aussi naturellement que le fait Dick Rivers avec son prothésiste dentaire. Et si l'on veut se convaincre de l'influence de l'astre de la nuit sur nous autres, Terriens, ne suffit-il pas de chercher sous nos yeux pour en dénicher de probants exemples : une superstition de très basse Bretagne ne veut-elle pas en effet qu'un enfant engendré par une nuit de pleine lune soit voué, une fois adulte, à ne jamais dépasser le mètre trente-cinq, talonnettes comprises, et condamné à présenter debout ce qui d'ordinaire se présente assis.

La même légende ne prétend-elle pas que la vigueur d'une moumoute se mesure au respect, pour les tontes, du cycle lunaire ? Et d'ailleurs, Claude le sait bien, et Pascal l'avait annoncé avant lui (Blaise, pas Sevran) : l'infiniment petit, c'est-à-dire nous autres, pauvres humains, dont Claude filme sans relâche les étourdissantes pérégrinations émotionnelles, étant à l'image de l'infiniment grand, c'est-à-dire le ciel où brille de sa lueur diaphane cette maudite lune, qui régente nos humeurs, c'est en observant la voûte céleste que l'on parvient à mieux comprendre ce qui se passe autour de nous.

Quelques exemples : Paul-Loup Sulitzer ne doit-il pas sa bonne fortune dans l'industrie de la cale à armoires normandes à l'entrée dans son ciel de douze nègres anonymes ; le succès de la carrière de Chantal Goya ne trouve-t-il pas son explication dans l'aveuglement cosmique de ses plus jeunes victimes ; enfin, les penchants de Richard Clayderman ne s'expliquent-ils pas par l'irruption d'une queue de comète dans sa lune, précisément ?

Non, vous avez bien raison, Claude, la lune est décidément au centre de tout. Mais ce serait me la demander, la lune, que d'attendre de moi ne serait-ce qu'un aperçu télescopique de votre film, où brillent tant d'éblouissantes étoiles.

J'ajouterai simplement que votre film devant sortir un jour de pleine lune, il ne faudra pas venir vous plaindre s'il n'y a personne dans les salles !

portrait de

Francis Lopez

Je vous le dirai franchement, Francis (vous permettez que je vous appelle Francis ?), vous avez sans le savoir (ni le vouloir d'ailleurs) gâché une bonne partie de mon existence.

Je m'explique : figurez-vous, Francis, que ma marraine n'est autre que l'épouse de Georges Guétary et que, lorsque j'étais petit — c'est-à-dire entre 7 et 14 ans en gros, bien que je ne le fusse pas, gros —, ma grand-mère maternelle, qui voulait m'éveiller aux choses de l'art tout en bénéficiant des exonérations auxquelles nous donnaient droit nos relations familiales, n'hésitait pas à me traîner aux matinées du Châtelet pour y écouter *La Route fleurie*, *La Toison d'or*, *Méditerranée*, *Le Secret de Marco Polo*, j'en passe et des meilleures. Œuvres dont je ne remets pas ici en cause la qualité, plébiscitée de surcroît par le considérable succès populaire que l'on sait, mais qui contraignaient l'enfant que j'étais alors à rester de longues heures durant coincé dans un fauteuil d'orchestre alors que mes petits camarades, eux, pouvaient, en toute liberté, torturer des crapauds en leur insufflant du gaz butane, sonner aux portes après s'être soulagés sur le paillasson, proposer aux aveugles de les aider à traverser pour mieux les abandonner au milieu de la chaussée, ou bien uriner sur les bateaux-mouches depuis la passerelle du pont des Arts. Oui, autant de jeux exaltants qui m'étaient interdits, et en échange desquels il me fallait endurer ces spectacles dont mon jeune âge m'empêchait de saisir la baroque subtilité.

Et fallait-il que je fusse obtus pour ne pas partager la jubilation d'un public en transe qui s'émerveillait en tremblotant, exultant au spectacle de ces féeries de stuc et de carton-pâte, où, à l'ombre factice de palmiers en raphia et d'épineux cactus en papier mâché bigarré, s'ébrouaient d'accortes choristes aux formes voluptueuses, tandis que s'agitaient du bassin, aux sons des castagnettes énervées, les danseurs d'un corps de ballet interlope saisis de fièvre toute subtropicale, étourdissant corps de ballet, dans la folle turbulence duquel, serti comme un saphir dans son écrin de velours pourpre, le ténor brillait de tous ses feux.

Oui, je les revois tous, comme si c'était hier, ces maîtres du chant, tendance ibéro-basque, dont les noms clignotent à jamais dans la Voie lactée de l'opérette : Guétary, que je surnommais affectueusement Tonton Moumoute, mais aussi Luis Mariano, Dario Moreno, Maria Candido, Rossi Tino, José Todaro, Martini Bianco, Trocadéro. Ah oui, ce fut une grande époque ! Un âge d'or, l'Eldorado du *bel canto* dont on peut craindre que jamais il ne refleurira. Car, aujourd'hui, ce n'est pas du frêle thorax de chanteurs époumonés que pourrait jaillir le souffle castafioresque qui naguère décoiffait les permanentes et emportait les postiches d'un public, qui, bien que cartes Vermeil, ne s'émerveillait pas moins de la puissance de ces organes dont il appréciait, en connaisseur, toute la vigueur lyrique.

Oui, Francis, ce n'est pas à vous que je l'apprendrai, les temps ont bien changé. Il ne suffit plus aujourd'hui de porter un nom se terminant par un *o* pour pouvoir prétendre atteindre de tels sommets. Je ne vous citerai que quelques exemples : prenons Stéphanie de Monaco, qui, bien qu'aimant à chanter dans son bain, préfère s'intéresser à l'organe des autres. Je n'évoquerai même pas Adamo, Lucky Blondo, Franck Alamo, dont le timbre fut si *moderato* que nul souvenir ne nous en renvoie plus l'écho. Et Étienne Daho, vous trouvez qu'il chante haut, Francis ? Non ! Et je conçois qu'un fan d'opérette reste littéralement sans voix devant ces râles plaintifs de pulmonaire à l'agonie.

Mais revenons à moi. Je parlais du Châtelet, fantaisie hollywoodienne à la française qui laissait pourtant de marbre mes tympans d'enfant ingrat. Échappais-je à ces funestes obligations lyriques qu'elles me pourchassaient jusque dans les lieux de mes vacances. En effet, chaque été, c'est sur la côte basque, où j'allais en villégiature, que les démons de l'opérette venaient me rattraper.

Pays basque, pays de Luis Mariano, patrie de Dassary, et votre terre natale, Francis, où déjà à l'épo-

que vous faisiez figure de légende. N'est-ce pas là-
bas, à l'ombre des frontons, que vous vous initiâtes
à la pelote, celle que l'on pratique à main nue, en
compagnie de ces pelotaris chantants qui vous lais-
sèrent découvrir les secrets de leurs fameux pots-
pourris ?

Oui, Francis, du Châtelet au Pays basque, je
croyais toujours la fuir et toujours elle me rattrapa.
Et aujourd'hui, je le sais et votre présence me le
confirme : on n'échappe pas à l'éternelle opérette.

portrait de

Enrico Macias

Que ceux d'entre vous, plus compatissants que les autres, qui s'inquiéteraient de me voir ce pauvre et poussif sourire en lieu et place de mon habituel entrain se rassurent. Ce n'est là que l'expression d'une fatigue bien légitime puisque j'ai passé ma nuit dans une caserne de pompiers, à regarder, ébahi, se déployer leurs grandes échelles et, qui plus est, à grimper dessus.

N'entendez pas par là que j'ai assisté à l'enregistrement de la nouvelle émission de Pascal Sevran (dont du reste tous mes nouveaux amis pompiers de la caserne de Creil applaudissent à deux mains le juste retour).

Non, il s'agissait seulement de mettre la touche finale au long métrage où j'ai l'honneur d'apparaître, et, si c'est chose faite, c'est un peu sur les genoux que j'ai le bonheur de vous retrouver ce soir, même si certains esprits faciles n'hésiteront pas à me faire remarquer qu'il est naturel de finir sur les genoux quand on vient de passer la nuit avec des pompiers.

Fatigué, peut-être, mais heureux néanmoins, puis-

que je retrouve Enrico, que je n'avais pas revu depuis
mon enfance et très précisément depuis la fois où
(vous allez voir, c'est fou !), après m'avoir offert une
voiture de pompier, il m'avait fait sauter sur ses
genoux, précisément (en tout bien tout honneur,
m'empressé-je de préciser).

Et si j'évoque ces deux souvenirs de jeunesse, c'est
simplement pour mieux évoquer celle d'Enrico, où
germèrent les talents de notre universel papaouète.

Je m'explique. Dès son plus jeune âge, Enrico
apprend à maloufer. J'ai bien dit maloufer, autrement dit jouer du malouf, la musique traditionnelle
de la ville de Constantine et de sa région, d'où sont
originaires Enrico et Eddie. Très vite, il se révèle être
un virtuose. Enrico maloufe à tout bout de champ,
partout où il passe, à longueur de journée. En effet,
le malouf, rituellement, s'interprète au terme des trois
principaux repas de la journée, même si l'on peut
ouvrir une parenthèse — et pas seulement pour
aérer — en ce qui concerne certains avant-gardistes,
du malouf, qui n'hésitent pas à maloufer dans leur
bain.

Hélas ! Enrico en fait trop, et il finit par être rejeté
par les plus délicats de ses camarades qu'incommo-
dent les accents pétaradants de cette musique dont
le jeune Macias, bien longtemps avant Bernard Lavil-
liers, prouve alors qu'elle « est un cri qui vient de
l'intérieur ».

C'est de cette précoce expérience de l'exclusion
qu'Enrico tirera pour toujours sa haine de tous les
ostracismes, et c'est là qu'il faut chercher l'origine

profonde d'un caractère à la Don Quichotte, s'employant à combattre tous les moulins de l'injustice, en commençant, bien entendu, par ceux à vent. Ce combat débuta modestement. En effet, dans les années 60, en pleine vague yé-yé, il fallait être sacrément gonflé pour prétendre percer grâce au malouf. Aussi, pour se donner du cœur au ventre, Enrico refuse, pour commencer, toute ségrégation culinaire et se nourrit indifféremment de haricots, qu'ils soient verts, blancs, rouges, secs, ou même munistes. (Les haricots munistes.)

Mais n'oublions pas que le pays d'Enrico, l'Algérie, traverse alors une période très agitée. Fuyant ces effroyables luttes intestines, il franchit la Méditerranée. Décidé à peaufiner son art, il s'adonne alors à l'étude des instruments harmoniques, puisque, jusqu'alors, il ne jouait que de la batterie. Il largue donc sa grosse caisse pour le flageolet, la bombarde et la trompette, et devient un véritable homme-orchestre, dont le talent explose littéralement à la face du monde lors du festival de Castelnaudary, où il partage l'affiche avec Petula Clark, Nino Rota, les Haricots rouges et Gilbert Bicaud. Fort de son succès, il se lance alors dans une croisade contre le mal au sens propre.

Le racisme, l'intolérance (qu'elle soit gastrique ou morale), la violence, la guerre, la constipation chronique, l'amour bafoué, l'indifférence et l'aérophagie sous toutes ses formes.

Et alors, peu à peu s'esquisse l'image d'un Enrico nouveau, dont la gentillesse proverbiale et l'huma-

nité non feinte, abolissant les frontières de la haine
et du mépris, exhalent un parfum d'espoir, comme
le symbolise le véritable parfum aux enivrantes fra-
grances qu'il vient de lancer, au bénéfice d'une cause
humanitaire. Un parfum baptisé *Vous les femmes*,
après qu'un publicitaire au nez fin lui eut formellement déconseillé de lui donner ce nom — il est vrai
équivoque — : *Malouf* de chez Machias.

portrait de

Lisette Malidor

Imaginez, ma chère Lisette (vous permettez que je vous appelle Lisette ?), l'embarras dans lequel je me suis retrouvé en m'attelant à votre portrait. Car si parfois il me faut tourner des heures durant autour de certains invités avant de trouver un angle d'attaque satisfaisant, en revanche avec vous j'eus d'autant moins à chercher un angle que c'est une attaque, précisément, qui me foudroya lorsque je resongeai à votre terrassante beauté, applaudie déjà par des milliers d'admirateurs comblés que vous éblouîtes en descendant successivement les escaliers du Casino de Paris, du Moulin-Rouge ou des Folies-Bergère. Un spectacle infiniment plus bouleversant que celui d'une Chantal Goya gesticulant avec la grâce d'une girouette rouillée, poussée dans les escaliers du Palais des Congrès par des nains en grève décidés à se venger de leur cachet de misère. Car, pour savoir les descendre, vous savez les descendre, les escaliers, Lisette, aussi à l'aise lorsque vous êtes sertie de plumes d'autruche et de strass que lorsque vous l'êtes d'une misérable ceinture de bananes battant vos reins et

dont la turgidité n'est pas sans éveiller quelques souvenirs douloureux dans la mémoire de Philippe.

Seulement voilà, Lisette, à un corps bien fait vous
ajoutez une tête bien faite, et, ne devrais-je citer qu'un
exemple, je rappellerai cette époque où vous passiez
d'une scène à l'autre, jouant du Claudel en début de
soirée pour l'achever — la soirée, pas Claudel — sur
la scène du Moulin-Rouge où vous meniez la danse.
Et donc, pour rendre hommage à l'une des plus charmantes créatures qui jamais foula ce plateau de *Nulle
part ailleurs*, sans par ailleurs se mettre à rire, je me
suis fendu d'un petit exercice de style, inspiré du titre
de votre spectacle du moment, *Amou toujou*, en vous
concoctant un texte d'où j'ai banni cette maudite
lettre *r*. En français pompeux — le français pompeux n'étant pas bien sûr, je le souligne à l'intention de Bernard Montiel, la langue que parle Brigitte
Lahaie —, en français pompeux, donc, on appelle
ça un ipogramme, ou plutôt un ipog'amme, puisqu'il
faut bien commencer.

Je vous di'ai donc sans détou', sans tambou' ni
t'ompette, qu'aujou'd'hui je n'au'ai pu 'ecou' à des
calembou's douteux pou' vous fai' ma cou'. Non,
ca', n'étant pas un voyou, je m'en voud'ai de vous
voi' fai' la moue, en vous faisant c'oi' que je joue
le coq de basse-cou', poussant son coco'ico, ou enco'
le paon 'oucoulant en dé'oulant sa 'oue, et il faut
êt'e p'udent en dé'oulant sa 'oue, ca', si on la dé'oule
t'o 'apidement, la 'oue pète.

Ah non, pas ce gen' de discou'. Pas plus que je
me 'isque'ai à p'atiquer l'humou' noi', au 'isque de

fai' un fou', comme dit Autant-La'a, quand il veut fai' 'i'e les 'acistes.

De toute maniè', comme j'ai déjà pa'lé dans mon discou' d'int'oduction des f'ouf'ous, du masca'a et de l'omb' à joues que vous a'bo'âtes dans vos 'evues du Moulin-'ouge, du Casino de Pa'is, ou des Folies-Be'gè', succédant aux g'andes meneuses comme Line 'enaud, Zizi Jeanmai' ou Joséphine Bake', comme j'ai évoqué la poésie que vous 'écitâtes sans hésiter (je ne cite'ai, out' Claudel, qu'Aimé Césai', Léopold Sengho', et Piè' Louiss, un poète é'otique, ce de'nier), je n'au'ai à ajouter, pou' êt'e pa'fait, que vot'e ca'iè' se dé'oule aussi su' g'and éc'an. Ne tou'nâtes-vous point *Zoo zé'o* avec le g'and acteu' le nain Pié'al, l'acteu' fétiche de mon cama'ade Philou qui l'aime beaucoup ? Mais aussi *Le 'oi des cons*, et *La t'uite* de Losey, où vous inca'niez une antiquai' ent'etenue pa' un amant t'ès 'iche ? B'ef, des 'ôles aussi v'ais que hauts en couleu'.

Oui, Lisette, vous êtes une a'tiste complète. Vous déma'âtes ouv'euse et vous voilà 'eine de Pa'is.

N'est-ce pas vé'itablement fée'ique ? En tout cas, me'ci d'êt'e venue à *Nulle pa' ailleu'* en p'emier, plutôt que chez Michel Druke', Jean-Piè' Foucault ou Pat'ick Sabatier. Nous nous en 'éjouissons, j'en suis 'avi et je vous en 'eme'cie au nom de nos di'ecteu' Piè' Lescu' et And'é 'ousselet, vos plus fe'vents admi'ateu'.

portrait de

Marcel Maréchal

Je vous le dirai tout net, mon cher Marcel (vous permettez que je vous appelle Marcel?), je me suis longuement tâté depuis hier soir. Non seulement parce que je n'ai pu m'empêcher de rejeter un coup d'œil (furtif, mais un coup d'œil quand même) sur le roman puissamment érotique de notre invitée d'hier Alina Reyes — intitulé *Le Boucher* (et que je me fais un plaisir de vous offrir en vous prédisant d'ores et déjà une nuit agitée) —, oui, non seulement à cause de ce satané bouquin, disais-je donc, mais encore à cause de vous, un des plus illustres hommes de théâtre que compte notre pays. Car, pour être tout à fait franc, je vais fort peu au théâtre et jamais je ne vis une pièce que vous montâtes ailleurs qu'à la télévision, ce qui, je ne vous l'apprendrai pas, est moins bien qu'au théâtre.

Vous voyez, je joue franc-jeu. Vous me direz : j'aurais pu me documenter. Et je vous répondrai : certes. Encore eût-il fallu que je le pusse, étant donné que, votre *Dom Juan*, vous ne le jouâtes qu'en province, et qui plus est à Marseille, où je mets rarement les pieds — ce qui est une erreur, vu que c'est la ville du savon et que ça ne pourrait leur faire que du bien, à mes pieds.

Mais je sais que vous brûlez de me demander pourquoi je vais si peu au théâtre. Je vais vous le dire, Marcel.

D'abord, ne possédant pas le don d'ubiquité, il m'est difficile d'être simultanément sur le plateau de *Nulle part ailleurs* et autre part. Ailleurs, même si certains y parviennent, comme les frères Bogdanoff, dont on ne sait jamais lequel est en train de parler pendant que l'autre écoute (et réciproquement). Mais il y a plus grave. Je vais peu au théâtre parce que, solitaire par nature, je ne me sens que moyennement à l'aise noyé dans la foule de mes semblables, qui, sachant qu'il leur faudra se tenir là pendant au moins un acte entier, s'empressent, en attendant les fatidiques trois coups, de libérer tous ensemble dans une effroyable cacophonie tout ce qui peut encore les encombrer avant que le drame ou la tragédie débute. C'est alors un déchaînement de borborygmes, d'éternuements, de froissements de papiers, de craquements de fauteuils, de raclements, d'éructations, de gargouillis, de râles nasaux, d'expectorations asthmatiques, de reniflements, de flatulences en rafale, bref, un tohu-bohu insupportable pour l'âme délicate qui est la mienne, pour l'amateur de poésie que je suis.

Et s'il n'y avait que cela. Je ne vous apprendrai pas, Marcel, l'inconfort qui est monnaie courante dans les salles de théâtre. Les fauteuils y sont toujours minuscules, et, à cause de mes jambes de criquet affûtées par des heures de cyclisme assidu, c'est dans la position de la momie aztèque de Rascar Capac que je me vois contraint d'assister au spectacle. Notez bien que tout le monde n'est heureusement pas logé à la même enseigne. Ainsi Philippe, dans les mêmes circonstances, a-t-il, lui, l'impression d'être traité comme un roi africain et d'avoir à sa disposition une loge entière quand il n'occupe pourtant qu'un modeste fauteuil baquet.

Mais revenons à moi, aussi coincé qu'une Chantal Nobel dans une Porsche pliée en sept (une Chantal Nobel elle aussi victime d'un don Juan, d'ailleurs). Mon calvaire ne fait alors que commencer, puisque rapidement je sens des fourmis coloniser mes articulations, mes muscles se tétaniser, mes lombaires se tasser, mes oreilles bourdonner, mon estomac se contracter, mes pieds me gratter, mon nez me démanger, mon épine se raidir, et ma vessie se dilater jusqu'à l'inévitable. N'y tenant plus, je cherche alors à m'éclipser et à quitter ce lieu que je maudis déjà pour aller me soulager. Mais à peine ai-je esquissé l'ébauche d'un soupçon de mouvement qu'aussitôt la salle entière, roulant sur moi des yeux pleins d'opprobre, vocifère sa haine en susurrant des *Chut* et autres *Assis*. Autant d'injonctions sifflantes qui décuplent atrocement ma légitime envie. De toute façon, je suis coincé, devant et derrière moi un enchevêtrement inextricable de mollets, de tibias, de béquilles, de parapluies, de cannes, d'attachés-cases, de sacs à main, de cabas, de chapeaux, de casques et même de prothèses caoutchoutées — je vous ai dit plus haut que Chantal Nobel était dans la salle —, véritable barricade de la haine, m'empêchant toute retraite et me condamnant, pardonnez-moi de vous le dire, Marcel, à faire sous moi.

Voilà pourquoi je vais si peu au théâtre. Mais si je ne vais pas, moi, au théâtre, je conçois comme un vrai plaisir que ce soir — en votre personne — le théâtre soit venu à moi, servi sur un plateau et qui plus est un plateau de télévision. Cela dit, Marcel, je ne vous cacherai pas que tout ignorant que je sois des lieux où vous vous produisez, votre réputation vous a depuis longtemps précédé, et je vous avouerai même que pour vous, pour *Dom Juan* et pour Molière, je m'apprête dans quelques jours à braver tous les dangers que j'exposais plus haut et à venir vous applaudir, des deux mains, si toutefois je peux encore les bouger.

portrait de

Eddy Mitchell

Antoine est coiffé d'une considérable banane.

Avant toute chose, monsieur Philippe Gildas et monsieur Eddy (vous permettez que je vous appelle monsieur Philippe Gildas et monsieur Eddy?), laissez-moi, en tant que président de l'ADVB, l'Amicale des défenseurs de la vraie banane, remercier ici M. Antoine de Caunes qui a bien voulu me céder sa place, à l'occasion de la visite de M. Eddy chez M. Philippe Gildas, qui est moins petit que ne le laisse entendre M. Antoine de Caunes, même s'il est exact, il faut le voir pour le croire, qu'il présente vraiment son émission debout.

Oui, je tiens à le remercier, et j'en profite pour souligner ici quel élément de valeur Canal Plus a la chance de posséder en la personne de M. Antoine de Caunes, dont les saillies font rire jusqu'au tréfonds la France la plus profonde. Bien sûr, certains soirs il est plus drôle que d'autres, comme tous ceux qui sont soumis à la dure loi du quotidien — regardez par exemple M. Patrick Poivre d'Arvor —, mais enfin, je dois avouer qu'avec tous les membres de l'Amicale nous nous esclaffons à l'entendre au point d'avoir souvent à remodeler notre ornement capillaire que déstructurent les spasmes du rire, un ornement autour duquel nous nous sommes précisément regroupés en amicale à but non lucratif.

Vous vous demandez peut-être pourquoi M. Antoine de Caunes a eu la gentillesse de me céder sa place ce soir ?

C'est très simple : en tant qu'ardent défenseur de la banane, je ne pouvais rêver meilleur jour qu'aujourd'hui, où vous avez pour invité M. Eddy, pour défendre avec l'énergie du désespoir le symbole d'une époque plus que jamais menacée. Car si la banane devait avoir un roi, ne doutons pas que c'est à M. Eddy que reviendrait ce titre, même si, aujourd'hui, la sienne s'est faite plus discrète et qu'elle n'a plus ce côté conquérant qu'elle avait dans les années 60. Attention, je ne dis pas que M. Eddy néglige aujourd'hui cet attribut qui contribua à le rendre célèbre hier. Il est normal qu'avec le temps il ait laissé évoluer son look, mais l'œil expert des connaisseurs que nous sommes sent bien frémir sous le brushing le ressort comprimé d'un talent toujours prêt à bondir pour nous surprendre. Et, même si la plupart des membres de l'Amicale des défenseurs de la vraie banane peuvent être qualifiés de puristes, voire même d'intégristes (puisque les enfants de certains d'entre eux ont actuellement des problèmes à l'école, spécialement auprès de quelques professeurs qui en sont restés à l'époque pounque et pour lesquels notre

chère banane fait figure d'archaïsme cosmétique),
oui, même pour les plus zélateurs de la tradition bana-
nière, M. Eddy reste une figure de proue. N'est-ce
pas lui qui a inspiré à tant d'autres le port de cette
sculpturale excroissance ? N'est-ce pas lui qui lui est
resté le plus longtemps fidèle ? Tandis que Johnny
abdiquait cycliquement notre bonne vieille banane,
pour lui préférer au gré des modes catogans, hou-
pettes, brosses, boucles blondes, boucles auburn,
coupes au bol, accroche-cœurs, permanentes, mini-
vagues, ou mèches rebelles sur son front populaire,
M. Eddy, lui, restait inébranlable. Et même vous,
monsieur Philippe Gildas, fûtes un temps un adepte
de notre emblème, puisque j'ai retrouvé une photo
de vous prise quelque temps avant que vous n'op-
tâtes définitivement pour le casque qui lui aussi est
une part de votre légende. Regardez donc.

Vous me direz, il y a Dick Rivers, et à ce titre je
suis content que vous me donniez l'occasion de remet-
tre les pendules à leur place, comme dirait justement
Johnny, puisque, dans le cas de Dick, il s'agit d'une
banane factice, habile contrefaçon teinte au brou de
noix que lui greffa un médecin allemand dans une
clinique de Casablanca, comme il le raconte en toute
franchise dans ses Mémoires intitulés *Hamburger-*
pan-bagnat et rock and roll, etc. Je cite l'extrait rela-
tant son immédiat après-greffe : « Je viens de me
réveiller. Si j'en crois mon miroir, l'intervention a
pleinement réussi, tout comme celle d'Amanda Lear
qui occupe le lit voisin. Courageuse Amanda, dire
qu'ils lui ont tout enlevé pour me le greffer sur la

tête. » Un paragraphe éloquent, n'est-ce pas, monsieur Eddy ?

Notez qu'il n'y a pas que les hommes, précisément, pour défendre avec ardeur notre attribut oblong. Je ne citerai pour mémoire (M. Antoine de Caunes m'ayant demandé de faire court) que Line Renaud, qui l'immortalisa avec *Ma banane au Canada*, un demi-siècle avant que Lio ne chantât le très suggestif *Banana Split*. Et que dire de Brigitte Lahaie, dont le nouvel ouvrage, *Le Zodiaque érotique*, paru avanthier et mis en vente non seulement dans les librairies mais aussi chez les marchands de fruits et légumes ? Oui, Brigitte Lahaie qui sut leur faire subir tous les régimes, à nos bananes, en leur appliquant des recettes bien à elle : crues, cuites, pochées, à la voile, à la vapeur, flambées, dégorgées, dessalées et même revenues dans le beurre... D'ailleurs, rien que d'y resonger, je sens la mienne frémir.

Mais restons-en là. Oui, monsieur Eddy, la banane a encore, grâce à vous, de beaux jours devant elle. Et tous ceux qui lui sont restés fidèles comme tous ceux qui n'en ont pas dans les oreilles se jetteront, à mon conseil, sur votre nouvel album, chaudement recommandé par l'ADVB que je représente ici ce soir.

portrait de

Euzhan Palcy

Figurez-vous, ma chère Euzhan (vous permettez que je vous appelle Euzhan ?), que je me retrouve ce soir dans une situation on ne peut plus délicate en ayant à faire votre portrait. En effet, il se trouve qu'une partie du — modeste, je ne le soulignerai jamais assez — salaire que m'alloue Canal Plus (d'ailleurs, connaissez-vous le pluriel d'un salaire ? Dérisoire — un salaire, des risoires), qu'une partie de ce salaire, donc, rétribue censément les rires qu'inlassablement, en forçat de l'humour, je déclenche soir après soir, aussi bien sur ce plateau que dans la France la plus profonde, où l'on suffoque souvent en avalant sa soupe pour peu que telle ou telle saillie fasse particulièrement mouche.

Or, la raison qui vous amène ce soir, Euzhan, autrement dit votre film sur l'apartheid, est, on en conviendra, tout ce qu'on veut sauf rigolote, même si l'on devrait pouvoir rire de tout, comme l'a bien prouvé Alain Resnais en adaptant le désopilant ouvrage de Marguerite Duras : *Hiroshima, mon amour*, ou même Brigitte Lahaie dans son film érotico-résistant, *Le Jonc le plus lourd*.

C'est vrai, mais ça ne m'empêche pas d'être, comme je le disais, dans une situation délicate, pour la double raison que si le système de l'apartheid est plus solide que jamais en Afrique du Sud, il se trouve d'autres endroits sur terre où il se manifeste également, le plus inattendu d'entre tous étant *Nulle part ailleurs*. Vous ne me croyez pas ? C'est pourtant l'entière vérité, et les faits sont malheureusement là pour confirmer que tout ce qui n'est pas blanc souffre ici d'ostracisme. Je le prouve : depuis que *Nulle part ailleurs* existe, autrement dit depuis le 29 août 1987, sur un total de 623 invités, savez-vous combien d'entre eux étaient des gens de couleur ? Dites un chiffre : 300 - 200 - 100 - 10 - 5 - 4 - 3 ? Non, Euzhan : 2 ! Et encore, l'un de ces deux invités ne le fut que sur la foi de son nom, puisqu'il s'agissait d'Éric Blanc. Quant à l'autre, Lisette Malidor, une Antillaise comme vous, je n'étonnerai personne en avançant que ses charmes furent pour beaucoup dans le soudain revirement de celui qui, jusqu'alors, question meneuse de revue, ne voulait entendre parler que de Line Renaud. Car il existe bien, cet individu hostile à tout ce qui n'a pas l'éclat immaculé des bigoudens en général, et à tout ce qui n'est pas d'extraction très basse bretonne en particulier. Et c'est lui qui s'opposa farouchement à la venue sur ce plateau de Yannick Noah ; de Roger Bambuck, dont le bureau de ministre des Sports se trouve pourtant très exactement onze étages au-dessus de notre tête ; de Jean Tigana ; de Michel Noir, le maire de Lyon qui, à l'instar d'Éric Blanc, n'a pourtant de noir que le nom ; ou même de Lou Durand, le nègre de Sulitzer qu'il refuse obstinément d'accueillir sous prétexte d'une défense de la vraie littérature. Ne parlons même pas des Négresses vertes ou de la Compagnie créole, les réticences du personnage dont je vous parle s'exerçant même à l'encontre de Laurent Voulzy, pourtant beaucoup plus laid que café ; de Gilbert Montagné, à qui personne n'a jamais osé avouer qu'il n'était pas noir ; et enfin de moi-même, puisque j'ai remarqué qu'il ne pouvait s'empêcher de me rouler des yeux blancs de reproche en découvrant l'intensité de mon bronzage auburn à chaque retour de vacances. Eh oui, car en plus il est tout petit, et m'arrive à peine à la taille.

Ai-je encore besoin de vous le nommer, Euzhan ? Il est en face de vous, cet odieux personnage auquel, par amitié, je chercherai quand même quelques excuses, puisqu'il ne fait que transférer sur d'autres, par un processus bien connu des psychologues sous le nom de « syndrome de la talonnette », de transférer, disais-je, l'ostracisme dont il fut lui-même victime, enfant, et bien longtemps après encore, en cherchant à persuader désespérément les autres qu'il avait cessé de l'être, enfant.

Aussi vous demanderez-vous certainement, Euzhan, pourquoi il a fait ce soir exception à sa règle en vous invitant, vous, l'ardente dénonciatrice d'injustices qui jusque-là semblaient le laisser froid. Sursaut humanitaire ? Brusque prise de conscience ? Engagement tardif autant que soudain pour une noble cause ? Vous me permettrez, hélas ! d'en douter. Je connais le personnage, sa lubricité si mal contenue, dès que passe un jupon. D'ailleurs, sous couvert journalistique, ne vous a-t-il pas questionnée insidieusement tout à l'heure sur la nature profonde de vos relations avec Robert Redford ?

Mais il y a pire, et, exaspéré par les manœuvres troubles de ce sombre individu, je tiens à vous mettre en garde. Si Philippe en vient à vous parler d'apartheid, ne vous laissez pas séduire, Euzhan. Il ne s'agira pas de l'odieuse ségrégation entretenue en Afrique du Sud, mais d'un mouvement dont il est à l'origine : regardez ces images.

(*Extrait.*)

Que vient-on de voir ? Philippe vantant les mérites d'un appartement entièrement dévolu aux plaisirs et à la débauche et où il attire d'innocentes jeunes femmes pour en abuser. Le nom de ce réseau de prétendue entraide immobilière, dont Philippe est le chef : l'Appart Aid.

Vous le dénoncez, moi aussi. Philippe, lui, en vit. C'est pas joli joli. Mais au moins vous voilà prévenue, Euzhan.

portrait de

Vanessa Paradis

Figurez-vous, ma chère Vanessa (vous permettez que je vous appelle Vanessa ?), qu'au moment même où je m'apprêtais à m'atteler à la rédaction de votre portrait un employé des P et T fit, comme tous les jours à la même heure, irruption dans mon bureau pour y déverser les tombereaux de lettres à moi adressées par des fans transis. En effet, vous n'êtes pas sans savoir, Vanessa, que nous autres, animateurs de télévision, recevons un courrier de ministre. Courrier dont la qualité est souvent à l'image des destinataires : ainsi Patrick Sabatier reçoit-il des lettres des contrées les plus lointaines, jusqu'à la Mongolie où il compte des millions de fidèles, tandis que notre ami Pascal Sevran réceptionne, lui, surtout des colis et des gros paquets que lui envoient tous ses fans brésiliens.

Quant à moi, Vanessa, une grande partie de mon courrier provient de la perfide Albion, autrement dit l'Angleterre, où est diffusée chaque semaine sur la BBC l'émission *Rapido*, dont au passage je ne saurais trop vous recommander la version française, tous les dimanches à 12 h 30 sur Canal Plus. Or, vous n'ignorez pas (ou, si vous l'ignorez, il est temps de changer de manager) que vous fîtes récemment l'objet d'un reportage dans *Rapido*, reportage qui fit plaisir à tous vos admirateurs anglais. Au point, j'y viens, que bon nombre d'entre eux, se doutant que je vous recroiserais un jour ou l'autre, prirent la liberté de m'écrire en me demandant de vous transmettre leur lettre.

Aussi ai-je choisi ce soir de vous lire, en lieu et place du traditionnel portrait, trois des plus significatives missives à vous destinées.

Voici la première :

« Hello, Vanessa, je m'appelle Randolph et, comme le montre la photo ci-jointe, je suis *horse guard* au palais de Buckingham, où je dois rester de faction, dans le garde-à-vous le plus absolu. Ce qui serait envisageable si la seule pensée de votre charmante personne ne venait déranger l'impeccable mise de mon uniforme. En effet, il me suffit d'évoquer votre gracile silhouette dansant avec nonchalance pour qu'aussitôt je sois saisi d'un tremblement peu réglementaire de la pointe de mes bottes jusqu'à l'extrémité de mon bonnet velu dont tous les poils se hérissent. A ce sujet, je voudrais savoir si Philippe Gildas comptait lui-même un ancêtre dans les *horse guards* qui lui aurait transmis son bonnet fourré, celui qu'il arbore m'a-t-on dit dans *Nulle part ailleurs* ressemblant furieusement au nôtre, en plus élevé encore. Quoi qu'il en soit, Vanessa, je vous prie de croire à toute ma sympathique admiration et vous saurais gré, à mon tour, si vous acceptiez de transmettre à

Antoine de Caunes mes congratulations les plus appuyées pour sa magnifique prestation polyglotte sur la BBC, car, même à poil sous mon bonnet, je reste un rocker, comme votre célèbre Dick Rivers sous sa moumoute. Amicalement vôtre. Randolph. »

La deuxième nous vient de Tom, un punk de Leeds, et la traduction donne à peu près ceci :

« Wahou ! La meuf. Il était temps ! Les bouffeurs de grenouilles se réveillent. On commençait à se demander avec mes potes si vous étiez pas un peu tous trépanés de la crête, de l'autre côté du Channel. A force de nous envoyer toutes vos raclures de tiroir asthmatiques, y avait de quoi s'interroger. Hervé Vilard ? la gerbe ! Demis Roussos ? gare au gorille ! Dick Rivers ? wah le yaourt ! Sacha Distel ? destroy ! Et puis on t'a vue dans l'émission de De Caunes, wahou ! ça c'est un super-programme, et là, avec mes tepo, wahou ! on s'est pincés pour y croire : wahou ! le lot ! on n'y croyait plus : on croyait que toutes les Françaises ressemblaient à Gloria Lasso, qui est venue faire ses adieux au music-hall ici, sous Winston Churchill (preuve qu'elle a failli l'étouffer). Eh bien toi, c'est pas pareil, t'es un sacré petit canon, avec tout ce qu'il faut. Wah, la trique ! On sait pas trop comment tu chantes, vu qu'on pogotait pendant ton passage, mais on s'en fout, tout ce qui compte, c'est que t'assures, comme un petit canon. Et nous, ici, les punks de Leeds, on se met tous ensemble pour te dire : Wahou ! »

Enfin, troisième et dernière missive, d'une lady cette fois-ci :

« Ma chère Vanessa, je m'appelle Maggie et je joins ma photo à mon envoi pour que vous vous rendiez compte que, malheureusement, je ne suis plus, moi, de la première jeunesse. Pour tout dire, je pourrais être votre grand-mère.

« Dans votre film *Noces blanches*, vous séduisez un homme considérablement plus âgé que vous, qui pourrait, lui, être votre arrière-grand-père. Moi-même, je suis follement éprise d'un gentleman d'âge très avancé à qui je ne sais comment faire pour exprimer ma flamme, puisqu'il vit déjà maritalement.

« Ma question est double. Petit un : quel conseil me donneriez-vous puisque vous venez de vivre une histoire semblable ; petit deux : auriez-vous la gentillesse de le signifier à l'intéressé puisque vous devez le rencontrer à *Nulle part ailleurs* ? Vous ne pouvez pas le rater : c'est lui qui présente l'émission debout et il est coiffé très bizarrement, un peu comme un *horse guard* de Buckingham. Je compte sur vous. Amitiés au petit de Caunes qui est vraiment exceptionnel, funny, bien que beaucoup trop jeune pour moi, lui. Maggie. »

Voilà. Message transmis. Vanessa, la balle est dans votre camp.

portrait de

Régine

Antoine est habillé en meneuse de revue.

Bonsoir! Avant toute chose, je crois que je vous dois une explication puisque, comme votre œil sagace et salace n'a pas manqué de le remarquer, Philippe (vous permettez que je vous appelle Philou?), ainsi que vous, Régine (vous permettez que je vous appelle mon Chou?), ce n'est pas Antoine de Caunes que vous avez en face de vous — et loin s'en faut —, mais celle que le Tout-Paris, après le Tout-Hénin-Liétard, s'apprête à découvrir sous le nom de la Grande Yvette — la Grande Yvette, c'est moi!

Et j'en profite ici pour remercier le petit Antoine qui m'a si gentiment cédé sa place ce soir, sans rien me demander en échange (enfin, rien, rien de bien méchant en tout cas; et puis, je ne vois pas pourquoi je lui aurais refusé la gâterie que vous m'avez vous, Philou, contrainte et forcée à vous prodiguer, sous peine de ne pas m'autoriser à venir poser sur cette chaise la partie de ma personne qui a rendu fou de désir Montceau-les-Mines au milieu des années 70).

Bon, enfin, merci encore, mon petit Antoine, et comme je dis toujours quand on me rend service : à charge de revanche.

Alors, venons-en au fait : si j'ai tenu à être parmi vous ce soir plus qu'un autre, et alors que cela m'obligeait à annuler un gala de prestige à Bourg-la-Reine, c'est bien entendu parce que vous recevez, Philou, celle qui est en grande partie responsable de ma vocation. Oui, Régine, sans vous, je crois bien que je serais aujourd'hui encore à faire les marchés pour vendre des soutiens-gorge avec Robert (Robert, c'est mon homme, mon soutien-roberts), exactement comme vous le fîtes vous-même à vos débuts. Mais voilà, un beau soir, alors que je terminais la vaisselle, les mains encore plongées dans la mousse, j'entendis votre voix sortir du poste. D'un seul coup, je me sentis toute chose, et je suis sûre que je ressentis alors ce qu'un cobra, lové dans son panier, éprouve lorsque la flûte de son charmeur lui enjoint impérieusement de se dresser, sans pour autant cracher son venin. Mes mains dégoulinantes d'Omo — je parle de la lessive —, je me précipitai dans le salon-salle à manger, pour mettre un visage sur cet organe qui venait de me subjuguer. Croyez-moi si vous le voulez mais, grâce à vous, il se passa ce soir-là deux choses merveilleuses. Non seulement j'eus la révélation instantanée de la direction que j'allais donner à ma vie — vedette nocturne, comme vous — mais, en plus, je sauvai la vie de Robert. En effet, celui-ci, qui s'était assoupi dès le début de l'émission — il faut dire que c'est Jacques Chancel qui inanimait la soirée, et que

cet homme-là a toujours eu un puissant effet somni-
fère sur mon Robert qui est pourtant insomniaque
depuis qu'il conduit des semi-remorques le jour
comme la nuit... Bref, Robert s'était assoupi, laissant le mégot de sa Boyard maïs provoquer la lente
mais sûre combustion de son paillasson pectoral. Ah
là là, quelle histoire !

Je le répète, mon Chou, je vis là un signe du destin. Et, après avoir étouffé le début de l'incendie de
toison, je restai là les bras ballants, bouche bée
d'admiration, les oreilles grandes ouvertes, à vous
écouter chanter : « Quand vient l'mardi / la Grande
Zoa / met ses bijoux / ses chinchillas / et puis à
minuit / la Grande Zoa / autour du cou / s'met un
boa » — avec moi Régine — « Y en a qui marmon-
nent / que la Grande Zoa / ce serait un homme /
on dit ça ! » *(Applauses.)*

Vous voyez, ça marche à tous les coups.

Aussitôt j'abandonnai les soutiens-gorge, les petites
culottes, les dessous sexy et les slips kangourous pour
me reconvertir dans le cabaret (vous parlez d'une
transformation : regardez la photo de Robert et de
moi à l'époque, avant que je ne vous découvre,
Régine). Robert me fit faire le tour de la France dans
son quinze-tonnes, et je chantai un peu partout, aussi
bien dans les salles des fêtes du fin fond du Cantal
qu'aux arrivées de courses cyclistes, où parfois je
représentais la région. C'est ainsi que je fus successivement élue Miss Livarot, Miss Maroilles, et même
reine de Pont-l'Évêque, à quelques kilomètres de
Deauville où vous veniez d'ouvrir le célèbre Régine's.

Mais là, quand j'allais enfin réaliser le rêve que je caressais depuis toujours (vous rencontrer, mon Chou), à la porte de votre club, je fus littéralement refoulée par une brute de portier qui prétendait que, moi-même, je refoulais le parfum de la ville de Pont-l'Évêque dont je venais d'être élue la reine, comme je vous le disais.

Bref, ce soir, et bien qu'arrivant d'un triomphal gala à Munster, en Alsace, et grâce à la gentillesse de Canal Plus, j'ai enfin exaucé mon vœu le plus cher, celui de vous approcher pour dire : « Merci, mon Chou. »

portrait de

Alina Reyes

Antoine avec, à ses côtés, Albert en garçon boucher.

Tout d'abord, chère Alina (vous permettez que je
vous appelle Alina ?), je vous supplie de ne pas vous
méprendre sur le sens de la présence à mes côtés de
Raymond (vous permettez que je vous appelle Raymond ?), dont la tenue ne laisse que peu de doutes
sur la profession qu'il exerce.

Oui, même le végétarien le plus endurci le devine-
rait au premier coup d'œil : Raymond est boucher,
et j'ajouterai boucher-tripier, une corporation d'ailleurs très menacée, au même titre que ces pachyder-
mes africains avec lesquels (comme on le découvre
dans votre livre) ils ont en commun la largesse des
oreilles — surtout les lobes — et l'agilité érectile d'une
trompe toujours en éveil.

Non, ne vous méprenez pas : si j'ai convié mon
ami Raymond sur ce plateau ce soir, ce n'est pas pour
me livrer à de grasses plaisanteries autour du titre de
votre livre.

Non, vous savez que je répugne à utiliser d'aussi

grosses ficelles pour barder sur ce plateau les têtes que je portraiture, même lorsqu'il s'agit d'authentiques têtes de veau, comme c'est parfois le cas.

Si Raymond est là ce soir, c'est en tant qu'esthète (et pas de veau justement), puisque Raymond, bien qu'il passe ses journées à débiter le boudin au mètre et à soupeser fièrement une paire de rognons que lui envie toute la profession, est avant tout un amateur de belles choses en général et de belles-lettres en particulier.

J'en veux pour preuve la réflexion qu'il me fit hier soir, lorsque je me rendis à son échoppe pour faire l'emplette de ces andouillettes qu'il fait venir tout spécialement de Saint-Gildas-des-Bois et qui, pour être anormalement minuscules, n'en exhalent pas moins ce puissant fumet, venu du fond du tiroir (d'ailleurs, Philippe en stocke toujours quelques-unes au fond de son bureau). Oui, Raymond me fit une réflexion, et je vous la livre toute crue : « Dites donc, m'apostropha-t-il, vous vous en faites pas avec Gildas. Françoise Fabian, Fanny Cottençon, Jane Fonda, vous faites pas dans le cageot à *Nulle part ailleurs*. C'est plus une émission, c'est un défilé ! »

Effectivement, je dus l'admettre, nos goûts sont naturellement dictés par certains canons esthétiques, et nous ne cachons pas que le plaisir que nous tirons de la promiscuité de ces canons (sans même parler de leurs obus) ajoute au plaisir de l'esprit celui des yeux. Après tout, on fait de la télévision.

Mais revenons à Raymond, qui, déjà échauffé par l'évocation de ces créatures, s'empourpra davantage encore lorsque je lui révélai que nous recevions ce soir Alina Reyes, l'auteur de son livre de chevet.

Non pas le livre dont il se sert pour caler sa table de chevet — la place étant déjà prise par le dernier Nadine de Rothschild —, mais un vrai livre, malgré sa minceur, puisque, comme le dit Raymond : « La quantité, c'est pas la qualité, bordel ! »

Intrigué par un tel enthousiasme, je me précipitai alors chez moi, pressant contre moi ma poitrine de bœuf et serrant sous le bras mes pieds de veau, ce qui, je vous mets en garde, n'est pas à la portée de tout le monde.

Et là, dans le secret de mon cabinet de travail, je me plongeai d'une main fébrile dans cet opuscule de quatre-vingt-dix pages, pour y découvrir un récit poignant et dont la puissance évocatrice m'ébranla jusqu'à la racine de mon être.

Je croyais en matière d'érotisme avoir atteint les sommets du genre grâce aux subtils ouvrages de la collection dirigée par mon amie Brigitte Lahaie, et dont je rappelle les meilleurs titres : *Le Feu au pot*, ou encore : *Tu le sens, mon gros rôti ?*, sans oublier bien sûr : *Garçon boucher pour taureau sodomite*.

Oui, je croyais ces chefs-d'œuvre indépassables, et pourtant ce *Boucher*-là m'en boucha un coin — je parle du livre.

Oui, ce livre me tint en haleine une bonne partie de la nuit, et je le dévorai littéralement, ce boucher — je parle du livre —, m'ébaubissant sur la qualité de son style et les fulgurances de son réalisme onirique, ne m'interrompant que pour souffler un peu et

récupérer quelques forces, permettant ainsi à la décol-
leuse à papier peint, que Philippe m'avait (en connaissance de cause) prêtée la veille, de refroidir.

Oui, il s'agit là d'un livre remuant, mais je met-
trai en garde les plus fragiles de nos téléspectateurs :
si, comme le dit Georges Bataille : « L'érotisme, c'est
l'approbation de la vie jusque dans la mort », ce texte-
là en est une parfaite illustration ; car c'est pantelant,
livide et littéralement vidé que j'en achevai, au petit
matin, la lecture. Et, pour être honnête, je crains bien
d'avoir envie de recommencer dès ce soir.

portrait de

Demis Roussos

Mon cher Demis (vous permettez que je vous appelle Demis ?), laissez-moi tout d'abord vous dire à quel point je suis content de vous revoir. En effet, votre dernière visite chez nous remonte à il y a plus d'un an et, franchement, je commençais à trouver le temps long. Oh, certes, je trompais l'ennui en vous évoquant dans les portraits de *Nulle part ailleurs*, mais il y a une différence de poids, si je puis dire, entre penser à quelqu'un et l'avoir en face de soi, en chair et en os, martyrisant cruellement une malheureuse chaise qui ne lui a rien fait.

Oui, Demis, j'ai beaucoup parlé de vous depuis un an, et, pour être tout à fait honnête, chaque fois, ce fut pour mettre en avant la luxuriance de votre toison, le gigantisme de votre stature et l'exceptionnelle vigueur de votre organe. Certes, on peut m'accuser d'avoir fait rire à vos dépens, mais il serait tendancieux de ne pas voir dans toutes ces saillies la trace d'une affection véritable, comme celle qui unit Sigourney Weaver à ses compagnons de jeu dans le film *Gorilles dans la brume*. Certains allèrent même jusqu'à dire que j'avais fait de vous une de mes têtes de Turc favorites, Demis.

Sans voir l'impossible paradoxe qu'il y a à faire du plus grec de nos chanteurs la plus grosse de mes têtes de Turc, d'autant plus que, suite à votre régime draconien, vous avez littéralement fondu, au point d'approcher aujourd'hui le poids qu'accuse le pèse-personne de Paul-Loup Sulitzer, une de mes vraies têtes de Turc, lui.

Quoi qu'il en soit, soucieux de dissiper le soupçon le plus léger, si je puis dire, je n'ai pas hésité, comme vous le voyez, en signe d'allégeance et histoire de m'éviter une hypothétique tarte dans la gueule, un aller-retour Athènes-Paris que vous pourriez m'administrer avec l'une de ces mains dont l'envergure des boudins n'est pas sans rappeler les formidables battoirs du plus puissant des dieux grecs, je veux parler d'Hercule, dont le panache illumina mes lectures d'enfant (quand il se retrouvait cerné de toutes parts, n'éclatait-il pas de rire, ce dieu dont Homère disait justement : « C'est Hercule, celui qui rit quand on l'accule ») —, oui, n'ai-je pas, en signe d'allégeance, revêtu pour vous l'uniforme des euzenos, la foustanela. Une foustanela qui attira d'ailleurs quelques ennuis à Pascal Sevran, lors d'un récent voyage en Grèce, puisque, lorsque demandant le nom de cette seyante jupette on lui répondit : « Foustanela », il s'exécuta aussitôt, en s'agenouillant, prétendant avoir compris : « Fous ton nez là. »

Une deuxième méprise, puisque déjà, à vos débuts, à l'époque de *Rain and Tears*, il prétendait que votre groupe s'appelait les Hermaphrodite Child. Or, vous en êtes la preuve vivante, Demis, tout ce qui est grec n'est pas hermaphrodite, et réciproquement. Mais, je reviens à mon point de départ, nous sommes d'autant plus ravis de vous recevoir que l'hiver est là, et qu'il s'annonce rigoureux. Or, grâce à vous, Demis, c'est un peu de la chaleur de votre Grèce natale qui se répand sur notre plateau (je parle de la chaleur, pas de la Grèce), pour nous réconforter.

Du reste, votre album *Voice and Vision* (« La voix et la vision ») porte bien son nom : il suffit de vous voir, Demis, pour aussitôt oublier les frimas de l'hiver, vous qui, même torse nu, donnez l'impression d'être revêtu d'une confortable pelisse thermo-régulée Damart. Et il suffit de vous entendre pour qu'aussitôt vous réchauffiez nos tympans, nous faisant oublier, par la grâce du filet d'or de votre voix, que tant d'autres se contentent chaque jour de nous chauffer les oreilles.

Oui, Demis, réjouissons-nous de recevoir dans *Nulle part ailleurs* un poids lourd de la chanson, auprès duquel la grande majorité des autres chanteurs d'art font figure de castrats anorexiques et de pulmonaires anémiés.

Aussi, avant que vous n'ouvriez la bouche et que vous ne fassiez une nouvelle démonstration de l'étendue considérable de votre organe (en dépit des strictes consignes de sécurité en vigueur sur ce plateau), je me permettrai, Demis, de vous remercier une fois de plus d'avoir fait un crochet par chez nous.

Oui, Demis, merci d'être velu.

portrait de

Éric Tabarly

Je dois avouer que ce matin, en découvrant que nous recevions ce soir Éric (vous permettez que je vous appelle Éric, mon capitaine?), je fus secoué de ce frisson qui parcourait Sisyphe chaque fois que, ayant péniblement poussé son rocher jusqu'en haut de la colline, il le voyait, impuissant, redébouler la côte, le condamnant à le repousser encore pour qu'il redéboule à nouveau, et cela jusqu'à la fin des temps (d'ailleurs, à l'heure qu'il est, ça continue, mais après tout chacun sa merde).

Pourquoi, me demandez-vous? Je vais vous le dire. Tout simplement parce qu'Éric (mon capitaine) est le treizième navigateur solitaire et donc breton que nous recevons en deux ans à *Nulle part ailleurs*. Certes, il en est l'archétype, la figure emblématique, et tous, si on les compare à Éric (mon capitaine), font figure de mousses barbotants et de malhabiles barreurs. Mais quand même, c'est un navigateur solitaire, et après une soixantaine de feuillets consacrés au sujet je dois avouer que je me sens plus sec qu'un navire en cale sèche.

Toutefois, lorsque je fis part de ce désarroi à Philou, il s'empressa de me remonter le moral en me disant :

— Traite-le sous l'angle de l'humour.

— L'humour ? m'interloquai-je en détaillant le portrait sévère d'Éric (mon capitaine). A ma connaissance on ne l'a vu sourire qu'une fois, et encore n'est-on pas certain qu'il s'agissait d'un vrai sourire puisqu'il venait de s'entailler profondément la main en ouvrant une boîte de maquereaux marinés au vin blanc, au large du cap Horn, par un vent de force 12.

— Si, si, me reprit Philippe. Je connais l'oiseau. Il a beau être militaire à la retraite et breton, il n'en a pas moins un solide sens de l'humour. D'ailleurs, on le surnomme Pépé, c'est drôle, non ?

(Vous permettez que je vous surnomme Pépé, Éric, mon capitaine ?)

Je m'interrogeai quelques instants dans mon for intérieur, puis résolus de croire sur parole mon Philou qui, pour n'être pas militaire lui-même (quoiqu'en témoigne son casque inaltérable), n'en est pas moins lui aussi breton, et fait preuve d'un héroïque sens de l'humour qui l'aide à supporter, jour après jour, toutes mes pignolades. D'ailleurs, en commençant mon enquête sur Pépé, Éric, mon capitaine, dit le Menhir breton, je réalisai bien vite que la drôlerie de ce gaillard s'exprime le mieux dans un laconisme et un art consommé de la litote qui déconcerta plus d'un journaliste. Un exemple. Un jour qu'un confrère lui demandait : « Lorsque le cotre enfourne son étrave, vaut-il mieux, pour ne pas sancir, renforcer les varangues ou calfater les membrures à l'étambot ou encore tendre le pataras et hisser la trinquette génoise recouvrant la misaine ? », Pépé, Éric, mon capitaine, dit le Menhir breton, répondit simplement : « Non. »

Eh bien, cette économie de langage, cette absence de commentaire superflu me fait aussitôt songer à Clint Eastwood dans une célèbre scène de *L'Inspecteur Harry*. Un voyou teigneux tient en otage une malheureuse femme, lui collant le canon de son automatique sur la tempe, tandis que Clint, lui, pointe vers le front du malfrat son Magnum 44. Le voyou est fou de nervosité, il crie : « Si tu fais un pas, je te jure, je la bute, ne bouge pas, je te jure, tu fais un pas, elle y passe, salaud de poulet, casse-toi, je te jure, tu fais un pas, je la bute, fais pas le con, je te jure, tu fais un pas, casse-toi, tu fais un pas je te jure je la bute, ne bouge pas, tu fais un pas je la bute salaud de poulet. » A ce moment-là, Clint lui sourit doucement et lui répond : « Fais-le, fais-moi ce plaisir. »

Oui, Pépé, Éric, mon capitaine (dit le Menhir breton, puisque la mer est ton dolmen), est le plus eastwoodien des navigateurs solitaires. Et d'ailleurs, de même qu'il y a déjà cinq épisodes tournés de *L'Inspecteur Harry*, on compte six *Pen Duick* dans la dynastie du même nom.

D'ailleurs, Philippe, cela m'amène à souligner à quel point la sobriété de parole et le sens de l'ellipse sont profitables aux natures qui les pratiquent. Car aussi bien Clint que Pépé, Éric, mon capitaine (dit le Menhir breton, la mer est son dolmen) portent avantageusement leur âge et déjouent les estimations. En effet, nés la même année, ils sont tous deux presque sexagénaires. Autrement dit, vingt ans de plus que Philippe, qui, bien que cultivant malgré lui le sens du raccourci, n'en porte pas moins les effarants stigmates d'une sénescence précoce, à laquelle je ne peux trouver d'autres raisons que son impénitent bavardage et une vie confinée de terrien lubrique qui, lorsqu'il prend la mer, se contente de prendre celle de ses enfants.

Oui, Philippe, prenez-en de la graine, avec autant de constance que Pépé, Éric, mon capitaine, dit le Menhir breton, la mer est son dolmen, dit Bouche-Cousue, essuie, lui, des grains.

Mais pour vous avoir vu de mes yeux vu, Philou, décoller des pétoncles récalcitrants sur des rochers à marée basse, je sais que nos fidèles téléspectateurs n'ont pas de mouron à se faire.

Bienvenue à bord, mon capitaine.

portrait de

Haroun Tazieff

Vous ne m'empêcherez pas, mon cher Haroun (vous permettez que je vous appelle Haroun?), de voir un mauvais présage dans le fait que nous ayons choisi le vendredi 13 pour recevoir, à travers vous, l'ancien M. Catastrophe du gouvernement, et vous pardonnerez j'espère la tenue outrancièrement protectrice que j'arbore, au cas où, de la conjonction de votre venue et de ce jour ordinairement maudit, naîtrait quelque calamité d'ordre biologique, chimique, sismique, bactériologique, voire même nucléaire. Et pourtant je ne suis pas superstitieux, ça porte malheur. Pas plus que vous ne l'êtes vous-même, superstitieux, vous qui savez bien que les éruptions volcaniques et autres séismes ont des origines simplement naturelles, et non surnaturelles, comme l'imaginaient les Anciens. Et comme continue à le croire Danièle Gilbert, orfèvre en la matière et qui, de toute façon, n'est pas si récente que ça.

Un point commun que nous partageons, mon cher Haroun, et, vous allez voir, ce n'est pas le seul : en effet, comme vous, j'ai le souci constant d'alerter mes

contemporains sur les dangers qui les menacent, et
tandis que vous pointez du doigt les périls potentiels
d'une nature fantasque, dans sa dimension planétaire,
je me contente, humble sentinelle scrutant l'horizon
sur le front de la pollution mentale, d'annoncer à mes
frères humains des fléaux qui, pour en être moins
meurtriers, n'en sont pas moins ravageurs. Oui,
Haroun, comme vous, j'agis en amont, tout comme
Marcel, et du haut de mes remparts j'alerte mes semblables sur les menaces sonores, olfactives et visuel-
les qui pointent à l'horizon.

Je m'explique : ne fus-je pas le premier à mettre
en garde les narines de nos téléspectateurs sur les
effets nocifs de nouvelles substances asphyxiantes,
tel le *Malouf*, le prétendu parfum aux extraits de
pois chiches et à l'essence de merguez lancé sur le
marché, telle une grenade paralysante, par Enrico
Machias ?

De même, n'ai-je pas payé de ma personne, comme
un de ces héroïques pompiers de Tchernobyl, en allant
jusqu'à déboucher un flacon de l'eau de toilette
inconsciemment balancée sur le marché par Stéphanie de Monaco, m'irradiant par là même irréversi-
blement de ses effluves mortifères ?

N'est-ce pas moi, encore, qui, inlassablement soir
après soir, met en garde les plus jeunes de nos fidèles sur les effets désastreux de trop longues exposi-
tions aux radiations dorothesques sur celle qui n'en
a qu'une ?

La propagation de la connerie à partir de son point
d'apparition s'effectuant à une plus grande vitesse

que celle de la lumière, on ne compte plus les innocentes victimes d'une telle calamité. Et s'il n'y avait
qu'elle ? De même qu'avant les grands séismes les animaux, fous de terreur, se mettent à caqueter, hen-
nir, croasser, aboyer, hululer, piailler, bêler frénétiquement, que fais-je de plus lorsque je m'agite en
tous sens, à l'approche du retour sur scène de Chantal
Goya et de ses nains sodomites ?

Enfin, ne suis-je pas le premier et parfois le seul
à tirer la sonnette d'alarme lorsque la presse — le
magazine *Lui* pour ne pas le citer — publie sans prendre les précautions d'usage des photos dont l'incan-
descence pourrait brûler les regards les plus chastes
et choquer jusqu'aux médecins légistes les plus blin-
dés — je pense bien sûr ici aux chairs trop longtemps
comprimées d'une Gloria Lasso craquant soudain le
barrage de sa gaine débordée et laissant déferler le
raz de marée, tel un fleuve de boue, d'une cellulite
dans laquelle furent déjà emportés ses huit premiers
maris.

Oui, Haroun, vous le voyez, moi aussi je prêche
la prévention, même si souvent c'est dans le désert,
puisque, vous le savez mieux que quiconque, il n'est
pire sourd que celui qui ne veut entendre. Et je peux
vous l'avouer aujourd'hui, cette attitude, je vous la
dois en grande partie pour m'être, alors adolescent,
intéressé à vos ouvrages, dont les titres équivoques
(et que ne désavouerait pas Brigitte Lahaie) m'avaient
alors abusé.

Je n'en citerai qu'une poignée : *Cratères en feu*, *Ça
sent le soufre*, ou bien sûr *La Dérive des incontinents*.

Voilà. J'espère simplement, Haroun, pouvoir me montrer longtemps aussi vigilant dans mon microcosme que vous l'avez été et l'êtes toujours, vous, à l'échelle de la planète, et je souhaite que ladite planète, nonobstant tous les vendredis 13 qui l'accablent, ait longtemps encore des défenseurs de votre envergure.

portrait de

Ugo Tognazzi

Je ne sais pas, mon cher Ugo (vous permettez que je vous appelle Ugo ?), si vous avez entendu parler, en Italie, de cette danse qui fit fureur chez nous pendant tout l'été : la lambada, et qui consiste à enlacer voluptueusement une partenaire à la cambrure consentante et à lui infliger en ahanant de sévères coups de rein, jusqu'à lui faire demander grâce et à l'entendre supplier en brésilien de cuisine : « *Smaj smaj de, smaj smaj de de smaj lambada !* »

Oui, je parle ici de la lambada, puisqu'il m'est apparu ce matin que la programmation de *Nulle part ailleurs* obéissait sensiblement au même principe, en ce sens que nous essayons de faire alterner individus mâles et femelles dans une folle sarabande (en tout cas, plus régulièrement que Philippe). Ainsi, c'est Micheline Presle qui vous précéda hier soir et c'est Fanny Cottençon qui vous succédera demain. Et reconnaissez que dans cette programmation évoquant furieusement les lasagnes (des couches alternées de viande et de pâtes gratinées) vous eussiez pu vous trouver plus mal loti, aplati entre Demis Roussos et Gloria Lasso, par exemple.

Oh, je sais bien que vous auriez survécu, Ugo, comme vous survécûtes à plus de cent cinquante longs métrages, tournés avec les plus grands : Ferreri, Risi, Monicelli, Sermoilkiki, Comencini, Bertolucci, Enuresi, Petri, Cortucci, Sacepari, Salami, Pasolini, Petrangeli, et même Paul Boujenah, qui s'était fait remarquer de l'autre côté des Alpes grâce au *Faucon (un vrai film)*, rebaptisé là-bas *Il faucono, un vero filmo*.

Oui, Ugo, vous tournâtes avec les plus grands, mais aussi avec les plus gros, puisque nous avons encore tous en mémoire la pantagruélique *Grande Bouffe* qui vous rendit célèbre chez nous. Et je passe sous silence le théâtre et la radio, où vous vous illustrâtes dans des registres divers, ou encore cette émission de télévision à laquelle vous participâtes (oui, mais des Panzani) et qui vous valut le surnom de Gildas italien, il y a quelques années (un Gildas italien étant toutefois différent d'un Gildas français : il est un peu plus grand par la taille et dit : « *Avanti, avanti* » plutôt que : « Allez, allez », « *Imbécilé* » plutôt que : « Imbécile », et : « *Va fanculo* » plutôt que : « Non, Maryse, pas ce soir, j'ai ma migraine »).

Eh oui, Ugo, peu de Français le savent, mais vous eûtes un succès considérable en présentant sur la télévision italienne une émission satirique. En effet, du jour où vous vous occupâtes (oui, mais des Panzani) de cette émission, vous grimpâtes (oui, mais des Panzani) dans les sondages, pour y régner en maître.

Jusqu'au jour où vous dérapâtes (oui, mais des Panzani) en vous moquant du président de la République italienne, ce qui vous valut d'être renvoyé dans vos pénates. Et j'en profite pour ouvrir une parenthèse pour dire qu'une chose pareille serait tout à fait inconcevable en France, et que c'est là que réside la différence fondamentale entre nos deux pays. En effet, si je veux, ici même, brocarder notre président, utiliser à son endroit des comparaisons peu flatteuses, des noms d'oiseau, voire même une terminologie bassement animalo-sexuelle, genre Pine d'ours ou Bite d'oiseau ; oui, si je veux, je peux.

Mais je ne le ferai pas.

Je ne le ferai pas car, n'ayant pas votre talent, j'aurais un mal fou à me reconvertir dans le cinéma. D'autant plus que si même mésaventure vous survenait dans le 7e art vous auriez encore le loisir de vous recycler dans le culinaire, où vous faites, m'a-t-on dit, des merveilles.

Vous avez même la réputation d'un maître queux qui n'a pas son pareil pour secouer les nouilles et préparer salades et belles escalopes. Ça, on ne peut pas dire que vous ne mettez pas du cœur à vos bouillons, et d'ailleurs vous avez déjà publié plusieurs livres de recettes qui ont tous fait fureur (quand je dis qu'ils ont fait fureur, je ne prétends toutefois pas qu'ils plairont forcément à M. Autant-Lara, même si celui-ci est un peu trop gnazi à mon goût).

Et d'ailleurs, j'opérerai ici une de ces heureuses transitions dont j'ai le secret, en conseillant au même Autant-Lara de se faire porter jusqu'à la première

salle de cinéma où se joue le nouveau film d'Ugo
Tognazzi : *Tolérance*. D'abord pour y méditer le sens
même du mot « tolérance » (qui n'est pas réservé aux
maisons du même nom), mais surtout pour y découvrir une œuvre baroque et surprenante et où s'illustre Ugo. Car une fois encore il nous épate : oui, mais
c'est Tognazzi.

portrait de

Charlotte de Turckeim

Votre présence parmi nous ce soir, ma chère Charlotte (vous permettez que je vous appelle Charlotte ?), me donne le sentiment que se prolonge encore un peu l'état de grâce dans lequel je baigne depuis une semaine déjà, depuis que j'ai vu au cinéma le *Cyrano de Bergerac* de Jean-Paul Rappeneau. État de grâce dans lequel baigne aussi mon Philou depuis la même projection, et même si la discrète bouée qui lui entoure la taille (consécutive à son mépris forcené de toute pratique sportive) lui est, dans cette baignade, d'un précieux secours.

Attention ! Si j'évoque *Cyrano* à travers vous, Charlotte, que nos téléspectateurs ne se méprennent pas et n'aillent pas chercher une allusion perfide aux dimensions de votre propre appendice nasal, dont l'avantageux profil ne doit ses contours qu'à une hérédité bourbonne certifiée. Je peux en effet faire preuve d'une certaine muflerie, parfois, mais je sais aussi me retenir, même si la pension alimentaire que je verse mensuellement à mes dix-sept enfants naturels tend à relativiser cette idée.

Non, je n'évoque *Cyrano* que parce que, vous-même, aux côtés de Jacques Weber, que nous recevions jeudi, vous interprétâtes, il y a quelques années, ce rôle dont l'actualité fait qu'on en reparle tant ces jours-ci : je veux bien sûr parler du rôle de Roxane. Et je me souviens de cette soirée à Mogador, où je vins vous applaudir en compagnie du Tout-Paris des grandes premières théâtrales. Tout le monde se bousculait pour entrer, et je me revois, faisant la queue, coincé entre Richard Clayderman et Henry Chapier, forcé à interpréter quelques pas d'une torride autant qu'involontaire lambada.

Dans la salle, je revois pêle-mêle Philou, debout sur son strapontin et répétant de manière presque hypnotique à son voisin de devant : « Chapeau, chapeau », alors qu'il n'en portait pas ; Jean-Claude Brialy, scrutant comme à son habitude le trou du souffleur ; Patrick Sabatier, applaudissant debout à la fin de chaque tirade, persuadé que la pièce venait de toucher à sa fin ; Pascal Sevran, suçant discrètement un eskimo qu'il avait pris la précaution de laisser dans son étui — on n'est jamais trop prudent ; Brigitte Lahaie, se jetant goulûment sur les trois pompiers de service en entendant annoncer les trois coups ; Paul-Loup Sulitzer, occupant une loge à lui tout seul et s'exclamant à tout bout de champ : « Quel affolant panache, et quel débit allègre / pour écrire comme ça il m'eût fallu cent nègres » ; Gilbert Montagné, assis dos à la scène et souriant aux téléspectateurs ; Nicolas Hulot, suspendu acrobatiquement dans les cintres par la partie de son individu censée lui assu-

rer une descendance, à l'occasion d'une séquence yo-
yo — « Whouhou ! » — encore dans toutes les mémoires de machinistes ; et enfin Sacha Distel, arrivé au
deuxième acte, à la suite d'un léger ennui mécanique.

Ah oui : quelle soirée que cette soirée-là, même si,
oublieux de l'intrigue, je tremblais à l'idée que
Cyrano eût, à un moment ou à un autre, à vous
embrasser. Car le risque n'était-il pas réel que vous
vous éborgnassiez réciproquement ? Et, en songeant
à un tel danger encouru, on ne comprend que mieux,
Charlotte, pourquoi, aujourd'hui, vous avez choisi
de vous produire seule en scène, même si l'expression « seule en scène » mérite d'être tempérée, puisque, comme le disait Philou, vous y interprétez pas
moins de vingt-cinq personnages, parmi lesquels il
est aisé de reconnaître Babar, Pinocchio, Néron,
Cléopâtre, le maréchal Ney, Nefertiti et Pif le Chien.

Voilà ! Mais il suffit, je me suis montré assez mufle
comme ça ! Qu'il me soit permis, Charlotte, en vous
accueillant ce soir, de saluer la comédienne drôle,
enjouée et pétillante que vous êtes, et qui sut incarner avec tant de talent et de justesse, dans *Chouans*,
le film de Philippe de Broca que nous recevrons bientôt, avec Sophie Marceau que nous recevions il y a
peu (eh oui, c'est un petit monde que le monde du
spectacle), oui, de saluer celle qui incarna pour l'éter-
nité l'aïeule légendaire de notre Philou : la baronne
Olympe de Saint-Gildas, une femme de tête, prémo-
nitoirement raccourcie, elle aussi, par les sans-
culottes.

Ironie et revanche du destin, Charlotte, son des-

cendant, malgré les apparences, a le nez fin, et c'est
à la subtilité de son flair que nous devons la joie de
vous compter parmi nous ce soir.

portrait de

Jean-Claude Van Damme

Parfois, lorsque j'y réfléchis, je me dis que décidément *Nulle part ailleurs* est une bien belle émission, et que nous traitons nos téléspectateurs avec des égards tels qu'ils n'en trouveront jamais nulle part ailleurs, précisément. D'abord, nous faisons l'impasse sur certains invités, du genre Michèle Torr, Georges Marchais, Patrick Sabatier ou Serge Lama, ensuite, nous nous efforçons, jour après jour, de satisfaire les exigences de notre public, qu'il soit féminin, masculin ou autre.

Ainsi, tandis que nous recevions hier, pour votre plus grand plaisir, messieurs, Sylvie Guillem, l'étoile de la danse, aujourd'hui, c'est pour mieux vous séduire, mesdames, que nous avons invité ce soir Jean-Claude (vous permettez que je vous appelle Jean-Claude ? si vous ne voulez pas, c'est pas grave).

En effet, comme le soulignait, il y a quelques instants, mon Philou, avec une convoitise bien compréhensible, Jean-Claude est bien parti pour être le digne successeur de Sylvester Stallone et d'Arnold Schwarzenegger, autrement dit il s'agit là d'un superbe athlète dans la fleur de l'âge et qui, parti de sa Belgique natale, a réussi en quelques années à conquérir le monde à la seule force du poignet. Certes, me direz-vous, mesdames, quel dommage que les vêtements que porte ce soir Jean-Claude voilent à vos regards les avantages d'une anatomie à nulle autre pareille.

Mais rassurez-vous, charmantes téléspectatrices : de même que sans cesse vous pensez à moi, j'ai moi-même pensé à vous et je vous propose de découvrir sur une photo les raisons pour lesquelles une grande partie du public féminin américain a littéralement succombé aux charmes de Jean-Claude, et qui justifient l'empressement de Philou (grand amateur lui aussi d'arts martiaux, puisqu'il pratique assidûment la lutte bretonne, dans la catégorie Piéral) à l'inviter parmi nous.

Cette photo, la voici.

Notons tout d'abord qu'elle fut prise dans des circonstances bien particulières — l'air renfrogné qu'y arbore notre ami s'explique aisément : quelques instants plus tôt Jean-Claude, qui bronzait nu sur une plage au bord du Pacifique, venait de se faire dérober tous ses vêtements, et c'est dans le plus simple appareil qu'il avait dû regagner son hôtel en auto-stop. D'où ce bras gauche levé pour faire signe aux voitures, tandis que l'autre dissimule aussi bien que possible un organe qui lui a valu le flatteur surnom de Bambou d'acier dans les milieux du kung-fu de Hong Kong.

Détaillons maintenant l'anatomie proprement dite en commençant par le visage qui, pour avoir encaissé les coups les plus sévères, n'en a pas moins gardé apparence humaine.

Vous me direz, il n'est pas nécessaire de s'être bagarré, ne fût-ce qu'une fois, pour avoir un faciès qui mérite révision. Il n'y a qu'à rappeler l'exemple de certains chanteurs de chez nous pour s'en persuader. (Des noms, des noms : Dick Rivers.)

On notera au passage l'étincelle qui luit dans le regard, et qui le différencie à tout jamais d'un Sylvester Stallone, dont l'œil n'est pas sans évoquer celui du bœuf hormoné abattu trois jours plus tôt dans des conditions d'hygiène précaires.

Descendons un peu et attardons-nous quelques instants sur ses bras musculeux, aux biceps perpétuellement bandés (arrête, Jean-Claude, tu m'excites) tels que nous tous, les garçons, nous rêvons d'en avoir lorsque, le soir, nous nous efforçons, dans un effort pitoyable, de faire lever la guimauve de nos pauvres fibres gélatineuses pour nous faire ressembler enfin à ces armoires dans les glaces desquelles nous nous mirons. Armoires que nous soulevons pourtant avec un bel entrain lorsqu'il s'agit de les caler à l'aide des plus récents ouvrages de Paul-Loup Sulitzer.

Mais revenons à Jean-Claude et glissons encore un peu le long de son thorax pour y découvrir des pectoraux de taureau en même temps qu'une quasi-absence de ce paillasson pectoral cher à Demis Roussos, et l'absence totale de ce pneu fatal que Philou lui, au contraire, entretient soigneusement pendant toute l'année pour être sûr de l'avoir sous la main quand arrivent les vacances.

Et voilà pour la description de cette mécanique parfaite qu'est le corps de Jean-Claude. Maintenant, me direz-vous, c'est bien joli d'être bâti comme ça, mais, étant donné le travail d'entretien que réclame une telle plastique, on peut se demander si le jeu en vaut la chandelle et si, au lieu de passer des heures dans des salles de gym à soulever de la fonte pour garder ces formes, il ne serait pas plus profitable de consacrer une partie de ce temps à l'écoute, au hasard, du *Mégamix* de Claude François.

Eh bien, la réponse est non : il vaut mieux soulever de la fonte. D'autant plus que Jean-Claude a joint l'utile à l'agréable en devenant l'un des plus redoutables combattants de notre époque — vous remarquerez d'ailleurs l'extrême politesse dont j'ai fait preuve ce soir —, qui, en guise de repartie, vous retourne des bourre-pif en moins de temps qu'il n'en fallut à Michel Drucker pour décider de passer sur la Une.

Et paraît-il, Philou, même sur des plus petits que lui.

Je vous dis ça pour l'heure que vous allez passer en sa compagnie, même si vous avez pris la précaution, je le constate, de garder votre casque de protection.

Bienvenue, Jean-Claude. Bonne chance, Philou.

portrait de

Sylvie Vartan

Ma chère Sylvie (vous permettez que je vous appelle Sylvie ?), je ne sais de quoi je dois me réjouir le plus ce soir. Du plaisir des yeux qu'éprouverait n'importe quel homme normalement constitué, y compris Philippe, à recevoir une aussi jolie femme que vous, ou bien des souvenirs-souvenirs que votre seule présence fait remonter-remonter, telles des bulles de champagne, à la surface de ma mémoire. Toutefois, votre mari, Toni Scotti, étant dans les environs, je m'en tiendrai au deuxième volet du plaisir que j'évoquais à l'instant.

Souvenir-souvenir, donc, car ce n'est pas vous offenser, Sylvie, que de vous avouer à quel point vous fûtes présente dans mon existence, comme dans celle de tous les garçons et les filles de mon âge qui savent bien ce que c'est que d'aimer (je sais, c'est une chanson de Françoise Hardy).

Oui, Sylvie, figurez-vous qu'en pleine ère yé-yé je n'avais d'yeux que pour vous, et, malgré mon jeune âge, chacune de vos apparitions provoquait en moi ce trouble délicieux qui fait sentir au jeune garçon

qu'il n'est plus tout à fait l'enfant qu'il était encore
la veille, mais pas encore le mâle vigoureux qu'il sera
peut-être le lendemain. Apparitions vocales et visuel-
les que je guettais alors à la télévision, à la radio et
dans la presse pour adolescents.

Souvenez-vous : il y avait *Salut les copains* pour les
garçons et *Mademoiselle âge tendre* pour les filles. Eh
bien, figurez-vous, Sylvie, que je n'hésitais pas à acheter les deux dans l'espoir de vous y retrouver, tout en
sachant, soyons honnête, que je n'aurais pas de mal
à refourguer le second, étant donné qu'un de mes
copains d'alors, le jeune Pascal Sevran, me propo-
sait systématiquement de me l'échanger contre *Ten-
tes et Nœuds*, la revue des scouts d'Ille-et-Vilaine à
laquelle il était abonné. Grâce à vous encore, Sylvie,
j'ai dansé mes premiers slow-rocks sur les sirupeuses
mélodies que vous concoctait Jean-Jacques Debout
(Debout étant le nom de Jean-Jacques et non pas la
position qu'un certain Jean-Jacques aurait choisie
pour vous écrire des chansons, contrairement au titre
d'une autre chanson intitulée *Il jouait du piano
debout*, qui, là, ne parle pas du tout de Jean-Jacques).

Ah ! mes premiers slows, premières émotions, premiers soupirs — n'est-ce pas là que je découvris à
quel point les femmes sont différentes des hommes,
tandis que la petite Simone, dont j'écrasais maladroi-
tement les orteils en lui infligeant une étreinte torride rendue encore plus suffocante par mon pull en
simili shetland, jouait amoureusement avec mes longues boucles auburn, qu'une transpiration née d'un
désir fou collait contre ma nuque gracile.

Ah, Simone ! Je la revois comme si c'était hier. Oh, elle n'était pas très jolie, bien sûr ! D'ailleurs, tandis que vous chantiez, vous, *La plus belle pour aller danser*, mes camarades n'hésitaient pas à me brocarder en me disant que, moi, j'avais choisi la poubelle pour aller danser.

J'irai même jusqu'à vous dire, Sylvie, que je poussai mon admiration pour vous jusqu'à m'engager dans les grands débats qui agitaient la société de l'époque : *oui* ou *non* au général de Gaulle, sapin ou formica, Sheila ou Sylvie. Rappelons que cette dernière alternative — Sheila ou vous — suscita les polémiques les plus violentes entre partisans et adversaires des deux idoles, Sheila allant jusqu'à considérer comme une offense personnelle et diffamatoire votre succès d'alors : *Comme un garçon*.

Mais le jeu en valait la chandelle puisque, à vous suivre comme ça de gala en gala, de concert en concert, je me retrouvai un beau jour à l'Olympia où se produisaient en même temps que vous les Beatles et Trini Lopez.

Un concert mémorable qui me permit de découvrir plusieurs choses. Petit un, que Ringo n'était pas le mari de Sheila ; petit deux, que John Lennon était encore vivant ; petit trois, que la coupe de cheveux des Beatles était indémodable, comme je le prouve encore ce soir.

Indémodable comme vous aussi, Sylvie, puisque vous revoilà. Et nous nous réjouissons que la petite Bulgare, qui a, ces dernières années, choisi l'Amérique, le pays du yaourt (tout au moins quand c'est

Dick Rivers qui le chante), ait le bon réflexe, quand la terre tremble là-bas, de venir chercher par ici chaleur et réconfort auprès de celui qui, avant-hier encore jeune garçon, est devenu décidément ce mâle vigoureux mais nécessaire qui vous parle, et qui n'a pas changé.

portrait de

Jacques Weber

Ce n'est pas à vous que j'apprendrai, mon cher Jacques (vous permettez que je vous appelle Jacques ?), qu'il est au théâtre des interprétations que leur perfection propulse instantanément dans l'orbite de la renommée.

Ainsi, plus tard, lorsque l'on voudra évoquer la version la plus poilue sous les bras de *La Valise en carton*, c'est bien sûr à Linda de Suza que l'on fera aussitôt référence.

S'agira-t-il de se souvenir du plus improbable Dom Juan, que le nom de Francis Lalanne (tiens, le revoilà celui-là) bondira immédiatement à la mémoire des amateurs de Molière et de sport équestre, Francis ayant cru qu'une simple queue de cheval suffisait à faire de lui un séducteur irrésistible. Enfin, voudra-t-on mettre un nom sur le premier spectacle à avoir popularisé le célèbre numéro dit du « bilboquet humain » au théâtre des Deux-Boules, et repris par la suite avec le succès que l'on sait par Igor et Grischka Bogdanoff, que c'est le nom de Brigitte Lahaie qui viendra sur toutes les

lèvres (et bien qu'elle ait l'habitude que ce soit plutôt le contraire).

Oui, Jacques, de même, lorsqu'on se souviendra
de celui qui, sur les planches, incarna si magistrale-
ment Cyrano, c'est bien à vous que l'on songera en
se remémorant l'étourdissant spectacle dont vous
fûtes, des mois durant, la figure de proue, au théâtre Mogador de Paris (qu'il s'agit de ne pas confon-
dre avec celui où Jacques Chancel s'apprête à lancer
sa toute nouvelle émission *Dormez, je le veux* — je
parle bien entendu du théâtre Mogadon). Ah oui,
vraiment, tout comme les six cent mille spectateurs
qui défilèrent pour vous applaudir, je peux bien vous
avouer que, dans la peau du Gascon au grand nez,
vous m'avez épaté. Oui, moi qui ne suis pas né épaté,
vous m'épatâtes.

Et, puisqu'il me faut aller jusqu'au bout du
compliment, je peux vous dire qu'après vous avoir
acclamé sur scène, dans la peau de Cyrano, j'ai été
soufflé par l'aisance avec laquelle vous êtes passé dans
celle de De Guiche, à l'occasion du film de Jean-Paul
Rappeneau. Mais ici, Jacques, accordez-moi la liberté
d'ouvrir une parenthèse, pour expliquer à certains de
nos téléspectateurs qui est de Guiche, et peut-être
même qui est ce Cyrano dont au sujet duquel je cause
depuis le début.

Eh oui, une précision qui, hélas ! n'a rien de superflu, si l'on s'en réfère aux résultats d'un récent son-
dage publié par le journal *Marie-Claire*, qui prouve
que le niveau de connaissances à l'intérieur des quatre coins de notre Hexagone, comme disait Maurice

Druon à l'époque où il était ministre de la Culture, est tout à fait, je cite, « déplorable ». Passe encore que Mireille Mathieu soit persuadée que l'auteur du *Misanthrope*, que vous venez du reste d'interpréter, Jacques, est Voltaire et que Gonzague Saint-Bris ignore, lui, quelle température l'eau doit atteindre pour bouillir (comme il ignore, ses tièdes articles en témoignent, tout ce qui touche de près ou de loin au boulot), mais saviez-vous, par exemple, que 64 % des Français ignorent que Soubirous était le nom de famille de Bernadette et sont persuadés que c'est au fond d'une grotte, sous un certain Birous, que la jeune Bernadette eut la révélation de sa vraie nature. Plus stupéfiant encore : 78 % de nos compatriotes ont l'intime conviction que Sulitzer est un authentique écrivain, que Richard Clayderman se contente d'épousseter chaque soir la queue de son piano, et que c'est la passion du scoubidou qui fut fatale à Chantal Nobel.

Mais revenons à *Cyrano* et résumons-en l'action.

Alors, Cyrano, c'est un Gascon qui a un grand nez : encore plus gros que celui de Philou. Il est tellement gros qu'il se prend les pieds dedans, ça fait rire les filles, et les autres, genre de Guiche, essaient d'en profiter. Il meurt à la fin (Cyrano, pas de Guiche). Et voilà le travail.

A présent, tous ceux qui ignoraient ce qui peut opposer des personnages aussi différents que Cyrano et de Guiche apprécieront à sa juste mesure la performance de Jacques Weber, qui, du théâtre au cinéma, a su passer avec autant d'aisance et de brio d'un rôle à l'autre.

Oui, un exploit que vous accomplîtes les doigts dans le nez, si je puis dire, car c'est un peu comme si l'on avait demandé à Laurel de jouer Hardy, et réciproquement, à Milou d'entrer dans le pot de Tintin, ou encore à Roméo dans celui de Juliette.

Et puisque vous avez prouvé aussi quel acteur vous êtes, je m'y engage ici, Jacques, dussiez-vous jouer une troisième fois cette pièce légendaire en vous retrouvant, après Cyrano et de Guiche, dans le rôle de Roxane, que vous pourrez toujours compter sur la fidélité de mon enthousiasme.

portrait de

André Rousselet

Portrait hors antenne, écrit pour célébrer l'« homme de l'année audiovisuelle ».

En dépit de mes faux airs d'adolescent sur le retour, c'est, apprenez-le, un vieux routier de l'audiovisuel qui vous parle en ce moment.

Oui, j'ai beaucoup roulé sur les chaussées, souvent déformées et parfois même pavées de mauvaises intentions, de la télévision française.

Et, à ce titre, je peux vous dire que j'en ai vu des vertes (et des trop mûres aussi d'ailleurs côté speakerines) et que, derrière la façade des sourires et des grandes claques faussement amicales dans le dos, c'est un univers impitoyable qui s'agite là-dessous — que, en comparaison, celui de *Dallas* évoque Chantal Goya inaugurant le Salon de l'Enfance.

Vous me direz, c'est partout pareil dans le commerce et dans l'industrie, et vous aurez sans doute raison (et, à ce sujet, je me permets de porter un toast pour vous souhaiter santé, prospérité, commerce et industrie, justement).

Mais, même si c'est partout pareil, du fait que je travaille, moi, à la télévision, les diverses magouilles en cours dans le monde de la métallurgie en général, et dans celui de l'import-export des démonte-pneus en particulier, ne me concernent que très moyennement. Pour être tout à fait franc, je vous avouerai même, au risque de choquer les plus chastes oreilles ici présentes, que je m'en tamponne frénétiquement le coquillard. Mais je m'éloigne.

Tout ça pour vous dire que si j'ai encore figure humaine, après tant d'années passées dans l'audiovisuel, c'est simplement parce que j'ai la chance de travailler sur la chaîne que vous dirigez.

Oui ! Canal Plus, de par l'état d'esprit qui y règne (j'irais jusqu'à dire qui y souffle, si je ne craignais de passer pour un ignoble lèche-cul), Canal Plus, disais-je, est une chaîne qui conserve. Une véritable cure de Jouvence pour ceux qui y travaillent !

Qui, par exemple, pourrait deviner que Philippe Gildas débuta dans ce métier la même année que le regretté Charles Vanel ; que Michel Denisot se fit remarquer comme danseur de claquettes dans la toute première revue de Line Renaud, celle-là même qui révéla les talents de chorégraphe de Jean-Pierre Coffe, jusqu'alors chauffeur dans la compagnie de taxis que vous avez vous-même créée vingt ans plus tôt ?

Oui, monsieur le président, vous êtes pour beaucoup dans cette décontraction. Une chaîne décontractée, qui sait toutefois se montrer ferme quand il le faut, comme tous les premiers samedis de chaque mois aux alentours de minuit, grâce aux films amoureusement sélectionnés (parfois après des heures de tâtonnements) par nos directeurs Pierre Lescure et Alain de Greff, qui ne font pas, eux non plus, leur âge (surtout le premier).

C'est que, à Canal, conscients que nous sommes d'offrir une alternative de programmation, on ne cravache pas après l'Audimat. La preuve, on n'éprouve même pas le besoin d'afficher le score de la veille dans les ascenseurs, vu que, de toute façon, comme c'est la chaîne du sport, personne ne les prend, les ascenseurs.

N'étant pas stressés ou obsédés par l'idée de faire toujours plus que leurs confrères, les hommes et les femmes qui travaillent à Canal Plus sont donc naturellement portés à s'estimer les uns les autres, et même à s'aimer.

En tout bien tout honneur, je vous rassure, n'étaient-ce quelques rares exceptions dont je vous reparlerai, si vous y tenez, monsieur le président, dans votre boudoir privé du quatrième étage, celui auquel on accède par le petit escalier secret.

Ainsi, vous ne m'entendrez jamais dire que Charles Biétry a un peu tendance à s'attarder dans les vestiaires des footballeurs à la fin des matches, que Jérôme Bonaldi a des pellicules, ou que mes amis les Nuls entretiennent des relations qualifiées par l'Ancien Testament de sodomites.

Non, il y a un bon esprit à Canal Plus, monsieur le président. Il va sans dire que c'est à vous qu'on le doit, car, pour être un homme à poigne, vous n'en êtes pas moins un homme ouvert, en dépit du fait que vous avez passé énormément de temps dans les cabinets.

Je m'empresse de préciser qu'il s'agit bien sûr de cabinets ministériels, que vous marquâtes de votre empreinte.

Les PTT, la Justice, et même l'Intérieur, celui dont il est le plus difficile de ressortir ouvert, étant donné qu'il est le plus souvent fermé, et précisément de l'intérieur.

Voilà, je tenais à vous remercier publiquement, monsieur le président, de m'avoir aidé à trouver cet équilibre et cette sérénité si rares dans notre profession.

Quant à la distinction qui vous échoit ce soir, nous nous en réjouissons tous, d'autant plus que nous savons que vous n'avez pas fini de nous surprendre.

Câble, satellite, démodulateur hertzien à bignifutage chronomatique, Minitel rose, vous êtes déjà sur tous les fronts, tandis que notre Canal Plus adoré n'en finit pas de s'internationaliser.

Après la Belgique, l'Espagne et bientôt l'Allemagne, je peux, en effet, révéler ce soir que deux autres pays sont, d'ores et déjà, conquis, avant même que vous l'ayez annoncé : le Japon et le Gabon, où il est vrai que l'habitant est de toute façon japonais ou gabonais de naissance.

Moi, je dis que, si avec tout ça, l'année prochaine vous ne conservez pas votre titre, ils peuvent déjà commencer à en chercher un autre pour gratter un discours aussi spirituel.

Glossaire

Ane : Mammifère têtu (*voir* Bardot).

Bardot : 1) Hybride produit par l'accouplement d'un cheval et d'une ânesse.
2) Actrice hippophile, allergique toutefois aux ânes priapiques.

Bécaud, Gilbert : Crooner varois. Ex-Monsieur 100 000 volts. Est passé en 110 à la suite de démêlés avec l'EDF.

Besson, Luc (dit Bulle Caisson) : Cinéaste spécialiste de l'apnée juvénile.

Chancel, Jacques : Hypnotiseur télévisuel. A introduit le sponsoring pharmaceutique sur FR3 (Témesta). Sa devise : « Dormez, je le veux. »

Chapatte, Robert : Journaliste télévisuel, capable de vider trois bouteilles de cognac cul sec.

Chapier, Henry : Anal-yste télévisuel, capable de vider un vieil armagnac, mais pas cul sec.

Debout, Jean-Jacques : Époux courageux de Chantal Goya. Particularité : compose assis.

Dorothée : Ardente militante du rapprochement culturel entre la France et la Mongolie-Extérieure.

François, Claude (dit Cloclo) : Chanteur de musique de danse de jeune. Électrisa les foules avec son vibrato.

Jouet extraordinaire (Le) : Exemple stimulant de ce vibrato qui immortalisa Cloclo (*voir* François, Claude).

Lama, Serge : Chanteur schizophrène (*voir* Napoléon).

Lear, Amanda : Ex-amant(e) de Dali ?

Le président Pinay : Mais son grand âge ne le lui permet plus.

Macias, Enrico (*alias* Machias, Haricot) : Parfumeur nord-africain (voir *Malouf*).

Malouf (dit *Vous les femmes*) : Décoction aromatique à base de merguez et de pois chiches.

Mas, Jeanne (née Mayburn) : Chanteuse, chorégraphe, égérie des agents affectés à la circulation.

Nain : Garde du corps syndiqué de Chantal Goya (*voir* Priapique).

Napoléon : *voir* Lama, Serge.

Piéral (*alias* Aleyrangues, Pierre) : Le plus petit des grands acteurs. Muse de Philippe Gildas.

Priapique : Qui est affligé d'une érection involontaire et douloureuse (*voir* Âne et Nain).

Raoni (chef) : Platine laser humaine.

Rivers, Dick (*alias* Fornieri, Hervé) : Rocker niçois, pionnier du yaourt.

Roland, Thierry : Journaliste. Semble depuis toujours réprimer à grand-peine une aérophagie chronique.

Stéphanie : Testée et approuvée par Paul, Anthony, Ron, Mario, Jean-Yves, TGV et les autres.

Tournez manège : Agence matrimoniale centripète.

Vilard, Hervé : Chanteur centrifuge (comme les pompes).

Zitrone, Léon (dit Gros Léon) : *Alias* le Bossuet de Longchamp. *Alias* le Balourd Bourdaloue d'Auteuil. Orateur funèbre.

Table

Jean-Christophe Averty	9
Bartabas	13
Guy Bedos	17
Luc Besson	22
Jane Birkin	26
Claude Brasseur	31
Jean-Claude Brialy	35
Philippe de Broca	39
Cabu	43
Georges de Caunes	48
Claude Chabrol	52
Julien Clerc	56
Jacques Doillon	60
Michel Drucker	64
Jane Fonda	68
Gipsy Kings	72
Sylvie Guillem	76
Grace Jones	80
Rémy Julienne	84
Martin Lamotte	88
Gérard Lanvin	92

Carole Laure	95
Amanda Lear	99
Claude Lelouch	103
Francis Lopez	107
Enrico Macias	111
Lisette Malidor	115
Marcel Maréchal	118
Eddy Mitchell	122
Euzhan Palcy	126
Vanessa Paradis	130
Régine	134
Alina Reyes	138
Demis Roussos	142
Éric Tabarly	145
Haroun Tazieff	149
Ugo Tognazzi	153
Charlotte de Turckeim	157
Jean-Claude Van Damme	161
Sylvie Vartan	165
Jacques Weber	169
André Rousselet	173
Glossaire	177

COMPOSITION : CHARENTE-PHOTOGRAVURE À ANGOULÊME
IMPRESSION : BRODARD ET TAUPIN À LA FLÈCHE
DÉPÔT LÉGAL : JUIN 1990. N° 12421 (6335C-5)

Collection Points

SÉRIE POINT-VIRGULE

V1. Manuel de savoir-vivre à l'usage des rustres
et des malpolis, *par Pierre Desproges*
V2. Petit Fictionnaire illustré, *par Alain Finkielkraut*
V3. Quand j'avais cinq ans, je m'ai tué
par Howard Buten
V4. Lettres à sa fille (1877-1902), *par Calamity Jane*
V5. Café Panique, *par Roland Topor*
V6. Le Jardin de ciment, *par Ian McEwan*
V7. L'Age-déraison, *par Daniel Rondeau*
V8. Juliette a-t-elle un grand Cui ?, *par Hélène Ray*
V9. T'es pas mort !, *par Antonio Skarmeta*
V10. Petite Fille rouge avec un couteau
par Myrielle Marc
V11. Manuel à l'usage des enfants qui ont des parents
difficiles, *par Jeanne Van den Brouck*
V12. Le A nouveau est arrivé
par Pierre Ziegelmeyer et Jean-Benoît Thirion
V13. Comment faire l'enfant (17 leçons pour ne pas grandir)
par Delia Ephron
V14. Zig-Zag, *par Alain Cahen*
V15. Plumards, de cheval, *par Groucho Marx*
V16. Bleu, je veux, *par Gisèle Bienne*
V17. Moi et les Autres, *par Albert Jacquard*
V18. Au vrai chic anatomique, *par Frédéric Pagès*
V19. Le Petit Pater illustré, *par Jacques Pater*
V20. Cherche souris pour garder chat, *par Hélène Ray*
V21. Un enfant dans la guerre, *par Saïd Ferdi*
V22. La Danse du coucou, *par Aidan Chambers*
V23. Mémoires d'un amant lamentable
par Groucho Marx
V24. Le Cœur sous le rouleau compresseur
par Howard Buten
V25. Le Cinéma américain. Les années cinquante
par Olivier-René Veillon
V26. Voilà un baiser, *par Anne Perry-Bouquet*
V27. Le Cycliste de San Cristobal
par Antonio Skarmeta
V28. Tchao l'enfance, craignos l'amour, *par Delia Ephron*
V29. Mémoires capitales, *par Groucho Marx*
V30. Dieu, Shakespeare et moi, *par Woody Allen*

V31. Dictionnaire superflu à l'usage de l'élite
et des bien nantis, *par Pierre Desproges*

V32. Je t'aime, je te tue, *par Morgan Sportès*

V33. Rock-vinyl (Pour une discothèque du rock)
par Jean-Marie Leduc

V34. Le Manuel du parfait petit masochiste
par Dan Greenburg

V35. L'Oiseau Canadèche, *par Jim Dodge*

V36. Des sous et des hommes, *par Jean-Marie Albertini*

V37. De l'univers à nous, *par Robert Clarke*

V38. Pour en finir une bonne fois pour toutes
avec la culture, *par Woody Allen*

V39. Le Gone du Chaâba, *par Azouz Begag*

V40. Le Cinéma américain. Les années trente
par Olivier-René Veillon

V41. Mistral gagnant, chansons et dessins, *par Renaud*

V42. Les Aventures d'Adrian Mole, 15 ans
par Sue Townsend

V43. Le Palais des claques, *par Pascal Bruckner*

V44. La Cuisine cannibale, *par Roland Topor*

V45. Le Livre d'Étoile, *par Gil Ben Aych*

V46. Les Dingues du nonsense, *par Robert Benayoun*

V47. Le Grand Cerf-volant, *par Gilles Vigneault*

V48. Comment choisir son psychanalyste
par Oreste Saint-Drôme

V49. Slapstick, *par Buster Keaton*

V50. Chroniques de la haine ordinaire
par Pierre Desproges

V51. Cinq Milliards d'Hommes dans un vaisseau
par Albert Jacquard

V52. Rien à voir avec une autre histoire
par Griselda Gambaro

V53. Comment faire son alyah en vingt leçons
par Moshé Gaash

V54. A rebrousse-poil
par Roland Topor et Henri Xhonneux

V55. Vive la sociale !, *par Gérard Mordillat*

V56. Ma gueule d'atmosphère
par Alain Gillot-Pétré

V57. Le Mystère Tex Avery, *par Robert Benayoun*

V58. Destins tordus, *par Woody Allen*

V59. Comment se débarrasser de son psychanalyste
par Oreste Saint-Drôme

V60. Boum !, *par Charles Trenet*

V61. Catalogue des idées reçues sur la langue
      par Marina Yaguello
V62. Mémoires d'un vieux con, *par Roland Topor*
V63. Le Cinéma américain. Les années quatre-vingt
      par Olivier-René Veillon
V64. Le Temps des noyaux, *par Renaud*
V65. Une ardente patience, *par Antonio Skarmeta*
V66. A quoi pense Walter ?, *par Gérard Mordillat*
V67. Les Enfants, oui ! L'Eau ferrugineuse, non !
      par Anne Debarède
V68. Dictionnaire du français branché, *par Pierre Merle*
V69. Béni ou le paradis privé, *par Azouz Begag*
V70. Idiomatics français-anglais, *par Initial Groupe*
V71. Idiomatics français-allemand, *par Initial Groupe*
V72. Idiomatics français-espagnol, *par Initial Groupe*
V73. Abécédaire de l'ambiguïté, *par Albert Jacquard*
V74. Je suis une étoile, *par Inge Auerbacher*
V75. Le Roman de Renaud, *par Thierry Séchan*
V76. Bonjour Monsieur Lewis, *par Robert Benayoun*
V77. Monsieur Butterfly, *par Howard Buten*
V78. Des femmes qui tombent, *par Pierre Desproges*
V79. Le Blues de l'argot, *par Pierre Merle*
V80. Idiomatics français-italien, *par Initial Groupe*
V81. Idiomatics français-portugais, *par Initial Groupe*
V82. Les Folies-Belgères, *par Jean-Pierre Verheggen*
V83. Vous permettez que je vous appelle Raymond ?
      par Antoine de Caunes et Albert Algoud
V84. Histoire de lettres, *par Marina Yaguello*
V85. Tout ce que vous avez toujours voulu savoir sur le sexe
      sans jamais oser le demander, *par Woody Allen*
V86. Écarts d'identité, *par Azouz Begag et Abdellatif Chaouite*

Collection Points

SÉRIE ROMAN

DERNIERS TITRES PARUS

R219. L'Admiroir, par Anny Duperey
R220. Les Grands Cimetières sous la lune
   par Georges Bernanos
R221. La Créature, par Étienne Barilier
R222. Un Anglais sous les tropiques, par William Boyd
R223. La Gloire de Dina, par Michel del Castillo
R224. Poisson d'amour, par Didier van Cauwelaert
R225. Les Yeux fermés, par Marie Susini
R226. Cobra, par Severo Sarduy
R227. Cavalerie rouge, par Isaac Babel
R228. Tous les soleils, par Bertrand Visage
R229. Pétersbourg, par Andréi Biély
R230. Récits d'un jeune médecin, par Mikhaïl Boulgakov
R231. La Maison des prophètes, par Nicolas Saudray
R232. Trois Heures du matin à New York
   par Herbert Lieberman
R233. La Mère du printemps, par Driss Chraïbi
R234. Adrienne Mesurat, par Julien Green
R235. Jusqu'à la mort, par Amos Oz
R236. Les Envoûtés, par Witold Gombrowicz
R237. Frontière des ténèbres, par Eric Ambler
R238. Les Deux Sacrements, par Heinrich Böll
R239. Cherchant qui dévorer, par Luc Estang
R240. Le Tournant, par Klaus Mann
R241. Aurélia, par France Huser
R242. Le Sixième Hiver
   par Douglas Orgill et John Gribbin
R243. Naissance d'un spectre, par Frédérick Tristan
R244. Lorelei, par Maurice Genevoix
R245. Le Bois de la nuit, par Djuna Barnes
R246. La Caverne céleste, par Patrick Grainville
R247. L'Alliance, tome 1, par James A. Michener
R248. L'Alliance, tome 2, par James A. Michener
R249. Juliette, chemin des Cerisiers, par Marie Chaix
R250. Le Baiser de la femme-araignée, par Manuel Puig
R251. Le Vésuve, par Emmanuel Roblès
R252. Comme neige au soleil, par William Boyd

R253. Palomar, *par Italo Calvino*
R254. Le Visionnaire, *par Julien Green*
R255. La Revanche, *par Henry James*
R256. Les Années-lumière, *par Rezvani*
R257. La Crypte des capucins, *par Joseph Roth*
R258. La Femme publique, *par Dominique Garnier*
R259. Maggie Cassidy, *par Jack Kerouac*
R260. Mélancolie Nord, *par Michel Rio*
R261. Énergie du désespoir, *par Eric Ambler*
R262. L'Aube, *par Elie Wiesel*
R263. Le Paradis des orages, *par Patrick Grainville*
R264. L'Ouverture des bras de l'homme
    par Raphaële Billetdoux
R265. Méchant, *par Jean-Marc Roberts*
R266. Un policeman, *par Didier Decoin*
R267. Les Corps étrangers, *par Jean Cayrol*
R268. Naissance d'une passion, *par Michel Braudeau*
R269. Dara, *par Patrick Besson*
R270. Parias, *par Pascal Bruckner*
R271. Le Soleil et la Roue, *par Rose Vincent*
R272. Le Malfaiteur, *par Julien Green*
R273. Scarlett si possible, *par Katherine Pancol*
R274. Journal d'une fille de Harlem
    par Julius Horwitz
R275. Le Nez de Mazarin, *par Anny Duperey*
R276. La Chasse à la licorne, *par Emmanuel Roblès*
R277. Red Fox, *par Anthony Hyde*
R278. Minuit, *par Julien Green*
R279. L'Enfer, *par René Belletto*
R280. Et si on parlait d'amour, *par Claire Gallois*
R281. Pologne, *par James A. Michener*
R282. Notre homme, *par Louis Gardel*
R283. La Nuit du solstice, *par Herbert Lieberman*
R284. Place de Sienne, côté ombre
    par Carlo Fruttero et Franco Lucentini
R285. Meurtre au comité central
    par Manuel Vásquez Montalbán
R286. L'Isolé soleil, *par Daniel Maximin*
R287. Samedi soir, dimanche matin, *par Alan Sillitoe*
R288. Petit Louis, dit XIV, *par Claude Duneton*
R289. Le Perchoir du perroquet, *par Michel Rio*
R290. L'Enfant pain, *par Agustin Gomez-Arcos*
R291. Les Années Lula, *par Rezvani*
R292. Michael K, sa vie, son temps, *par J. M. Coetzee*

R293. La Connaissance de la douleur
     par Carlo Emilio Gadda
R294. Complot à Genève, *par Eric Ambler*
R295. Serena, *par Giovanni Arpino*
R296. L'Enfant de sable, *par Tahar Ben Jelloun*
R297. Le Premier Regard, *par Marie Susini*
R298. Regardez-moi, *par Anita Brookner*
R299. La Vie fantôme, *par Danièle Sallenave*
R300. L'Enchanteur, *par Vladimir Nabokov*
R301. L'Ile atlantique, *par Tony Duvert*
R302. Le Grand Cahier, *par Agota Kristof*
R303. Le Manège espagnol, *par Michel del Castillo*
R304. Le Berceau du chat, *par Kurt Vonnegut*
R305. Une histoire américaine, *par Jacques Godbout*
R306. Les Fontaines du grand abîme, *par Luc Estang*
R307. Le Mauvais Lieu, *par Julien Green*
R308. Aventures dans le commerce des peaux en Alaska
     par John Hawkes
R309. La Vie et demie, *par Sony Labou Tansi*
R310. Jeune Fille en silence, *par Raphaële Billetdoux*
R311. La Maison près du marais, *par Herbert Lieberman*
R312. Godelureaux, *par Eric Ollivier*
R313. La Chambre ouverte, *par France Huser*
R314. L'Œuvre de Dieu, la part du Diable, *par John Irving*
R315. Les Silences ou la vie d'une femme, *par Marie Chaix*
R316. Les Vacances du fantôme, *par Didier van Cauwelaert*
R317. Le Levantin, *par Eric Ambler*
R318. Beno s'en va-t-en guerre, *par Jean-Luc Benoziglio*
R319. Miss Lonelyhearts, *par Nathanaël West*
R320. Cosmicomics, *par Italo Calvino*
R321. Un été à Jérusalem, *par Chochana Boukhobza*
R322. Liaisons étrangères, *par Alison Lurie*
R323. L'Amazone, *par Michel Braudeau*
R324. Le Mystère de la crypte ensorcelée
     par Eduardo Mendoza
R325. Le Cri, *par Chochana Boukhobza*
R326. Femmes devant un paysage fluvial, *par Heinrich Böll*
R327. La Grotte, *par Georges Buis*
R328. Bar des flots noirs, *par Olivier Rolin*
R329. Le Stade de Wimbledon, *par Daniele Del Giudice*
R330. Le Bruit du temps, *par Ossip E. Mandelstam*
R331. La Diane rousse, *par Patrick Grainville*
R332. Les Éblouissements, *par Pierre Mertens*
R333. Talgo, *par Vassilis Alexakis*

R334. La Vie trop brève d'Edwin Mullhouse
       par Steven Millhauser
R335. Les Enfants pillards, *par Jean Cayrol*
R336. Les Mystères de Buenos Aires, *par Manuel Puig*
R337. Le Démon de l'oubli, *par Michel del Castillo*
R338. Christophe Colomb, *par Stephen Marlowe*
R339. Le Chevalier et la Reine, *par Christopher Frank*
R340. Autobiographie de tout le monde, *par Gertrude Stein*
R341. Archipel, *par Michel Rio*
R342. Texas, tome 1, *par James A. Michener*
R343. Texas, tome 2, *par James A. Michener*
R344. Loyola's blues, *par Erik Orsenna*
R345. L'Arbre aux trésors, légendes, *par Henri Gougaud*
R346. Les Enfants des morts, *par Henrich Böll*
R347. Les Cent Premières Années de Niño Cochise
       par A. Kinney Griffith et Niño Cochise
R348. Vente à la criée du lot 49, par *Thomas Pynchon*
R349. Confessions d'un enfant gâté
       par Jacques-Pierre Amette
R350. Boulevard des trahisons, *par Thomas Sanchez*
R351. L'Incendie, *par Mohammed Dib*
R352. Le Centaure, *par John Updike*
R353. Une fille cousue de fil blanc, *par Claire Gallois*
R354. L'Adieu aux champs, *par Rose Vincent*
R355. La Ratte, *par Günter Grass*
R356. Le Monde hallucinant, *par Reinaldo Arenas*
R357. L'Anniversaire, *par Mouloud Feraoun*
R358. Le Premier Jardin, *par Anne Hébert*
R359. L'Amant sans domicile fixe
       par Carlo Fruttero et Franco Lucentini
R360. L'Atelier du peintre, *par Patrick Grainville*
R361. Le Train vert, *par Herbert Lieberman*
R362. Autopsie d'une étoile, *par Didier Decoin*
R363. Un joli coup de lune, *par Chester Himes*
R364. La Nuit sacrée, *par Tahar Ben Jelloun*
R365. Le Chasseur, *par Carlo Cassola*
R366. Mon père américain, *par Jean-Marc Roberts*
R367. Remise de peine, *par Patrick Modiano*
R368. Le Rêve du singe fou, *par Christopher Frank*
R369. Angelica, *par Bertrand Visage*
R370. Le Grand Homme, *par Claude Delarue*
R371. La Vie comme à Lausanne, *par Erik Orsenna*
R372. Une amie d'Angleterre, *par Anita Brookner*
R373. Norma ou l'exil infini, *par Emmanuel Roblès*

R374. Les Jungles pensives, *par Michel Rio*
R375. Les Plumes du pigeon, *par John Updike*
R376. L'Héritage Schirmer, *par Eric Ambler*
R377. Les Flamboyants, *par Patrick Grainville*
R378. L'Objet perdu de l'amour, *par Michel Braudeau*
R379. Le Boucher, *par Alina Reyes*
R380. Le Labyrinthe aux olives, *par Eduardo Mendoza*
R381. Les Pays lointains, *par Julien Green*
R382. L'Épopée du buveur d'eau, *par John Irving*
R383. L'Écrivain public, *par Tahar Ben Jelloun*
R384. Les Nouvelles Confessions, *par William Boyd*
R385. Les Lèvres nues, *par France Huser*
R386. La Famille de Pascal Duarte, *par Camilo José Cela*
R387. Une enfance à l'eau bénite, *par Denise Bombardier*
R388. La Preuve, *par Agota Kristof*
R389. Tarabas, *par Joseph Roth*
R390. Replay, *par Ken Grimwood*
R391. Rabbit Boss, *par Thomas Sanchez*
R392. Aden Arabie, *par Paul Nizan*
R393. La Ferme, *par John Updike*
R394. L'Obscène Oiseau de la nuit, *par José Donoso*
R395. Un printemps d'Italie, *par Emmanuel Roblès*
R396. L'Année des méduses, *par Christopher Frank*
R397. Miss Missouri, *par Michel Boujut*
R398. Le Figuier, *par François Maspero*
R399. La Solitude du coureur de fond, *par Alan Sillitoe*
R400. L'Exposition coloniale, *par Erik Orsenna*
R401. La Ville des prodiges, *par Eduardo Mendoza*
R402. La Croyance des voleurs, *par Michel Chaillou*
R403. Rock Springs, *par Richard Ford*
R404. L'Orange amère, *par Didier van Cauwelaert*
R405. Tara, *par Michel del Castillo*
R406. L'Homme à la vie inexplicable, *par Henri Gougaud*
R407. Le Beau Rôle, *par Louis Gardel*
R408. Le Messie de Stockholm, *par Cynthia Ozick*
R409. Les Exagérés, *par Jean-François Vilar*
R410. L'Objet du scandale, *par Robertson Davies*
R411. Berlin mercredi, *par François Weyergans*
R412. L'Inondation, *par Evguéni Zamiatine*
R413. Rentrez chez vous Bogner !, *par Heinrich Böll*
R414. Les Herbes amères, *par Chochana Boukhobza*
R415. Le Pianiste, *par Manuel Vazquez Montalban*
R416. Une mort secrète, *par Richard Ford*